JN024557

問うとはどういうことか

人間的に生きるための思考のレッスン

梶谷真司
東京大学教授・哲学者

大和書房

はじめに

2021年、元首相でオリンピック委員会会長のM氏の次のような発言が問題となった(ネットのニュースで「全文」として紹介されたのが、以下の文章である)。

これはテレビがあるからやりにくいんだが、女性理事を4割というのは文科省がうるさく言うんですね。だけど女性がたくさん入っている理事会は時間がかかります。これもうちの恥を言いますが、ラグビー協会は今までの倍時間がかかる。女性がなんと10人くらいいるのか今、5人か、10人に見えた(笑いが起きる)5人います。

女性っていうのは優れているところですが、競争意識が強い。誰か1人が手を挙げると、自分も言わなきゃいけないと思うんでしょうね、それでみんな発言されるんです。結局女性っていうのはそういう、あまりいうと新聞に悪口かかれる、俺がまた悪口言ったとなるけど、女性を必ずしも増やしていく場合は、発言の時間をある程度規制をしておかないとなかなか終わらないから困ると言っていて、誰が言ったかは言いませんけど、そんなこともあります。

私どもの組織委員会にも、女性は何人いますか、7人くらいおられますが、みんなわきまえておられます。みんな競技団体からのご出身で国際的に大きな場所を踏んでおられる方々ばかりです。ですからお話もきちんとした的を得た、そういうのが集約されて非常にわれわれ役立っていますが、欠員があるとすぐ女性を選ぼうということになるわけです。


この発言は「女性差別だ」と批判され、本人はそんなつもりはないと言っていた。そのつもりがあってもなくても、女性一般を悪く言っていることには変わりないし、そのことは本人も自覚している。

激しくなる非難に対して、本人からも他の人からも、不注意な失言だったとか、表現が不適切だったという釈明がなされた。悪意はなかったのだから許してあげようと擁護する人たちもいた。発言の一部だけを切り取って騒ぎ立てているという反論もあった。

もちろん世の中には失言も不適切な表現もある。マスコミやSNSでは、文脈を無視して攻撃するのは日常茶飯事である。けれども、M氏の発言をめぐる問題は、そういうレベルのものではない。

問う力がないと、どうなるのか？

問題はむしろ、M氏自身はもちろん批判する側も、**問うべきことをほとんど問うていない**ことだ。そのかわりに「女性差別」という分かりやすいレッテルを貼ってしまったせいで、もっと重要な問題が覆い隠されてしまった。発言をもっと丁寧に見て、疑問点を挙げてみよう。

□「女性理事を4割というのは文科省がうるさく言うんですね。」という言葉から察せられるように、M氏は女性のメンバーを増やすことをネガティブに捉えているが、なぜ女性が多くなるのは望ましくないのか？　文科省がうるさく言わなければ、女性を増やす必要はないと考えているのか？

□「これもうちの恥を言いますが、ラグビー協会は今までの倍時間がかかる。」と言うが、話し合いに時間がかかるのがなぜ「恥」なのか？　協会の会合は話し合いをするために集まっているのではないのか？

□「女性っていうのは優れているところですが、競争意識が強い。」と言うが、本当にそうなのか？　一般に男性のほうが競争意識が強いと言われることが多いが、そうではないのか？

□「発言の時間をある程度規制をしておかないとなかなか終わらない」というのは、一つのアイデアだろうが、女性対策なのだろうか？　個人的にはどちらかというと、中高年の男性への対策のような気がするが、そうでもないのか？

細かい点を突っ込めば、他にもいろいろあるが、これくらいにしておこう。女性のことを明確な根拠もなくネガティブに言うのが女性差別だというなら、そうなのだろう。その気があってもなくても差別は差別だが、M氏がどちらなのかはさておくとしよう。もっと気になるのは別のことだ。

M氏の発言の根底にあるのは、物事を進めるさい、話し合いに時間をかけるのはよくない、いろんな人が自由に発言するのはよくないという考えだ。だから女性もあまりしゃべらないなら、増えても問題はないのだろう。彼にとって物事は、誰かエライ人（たぶん自分）が決めたことをただ認めればうまく進むのであって、話し合いはできるだけしないほうがいい。

もし民主主義の社会において、性別や職業、学歴や身分など、その人の所属や属性によらず発言が尊重されるべきだとしたら、M氏の言っていることは、女性に対して差別的というよりも、いわば「反民主主義的」なのだ。

しかも、彼個人の信念がどうであろうと、自分が公の場で話すことについて少しでも自問自答していれば、あのように素直に自分の思いを長々と吐露することはなかったはずだ。つまり彼には「問う力」が決定的に欠けているのである。そして問うことは考えることの基礎にある。したがって彼には「考える力」が著しく不足していることになる。

しかもこれは彼個人の問題ではない。SNSもマスコミも、M氏の発言を「女性差別だ！」と言って批判したのだが、これによって問題がむしろ単純化され、矮小化されることになった。

（女性）差別＝よくない、間違っているという図式があるため、この言葉で批判すれば、世の中の反発を簡単に喚起できる。それは一つの戦略としては悪くないのだろう。

しかし残念ながら、世の中には男女平等を好まない、ジェンダーの問題を面倒くさいと思う人たちが少なからずいるので、「女性差別」と言うと、そういう人たちとの対立構造の中に入り込んでしまう。M氏を擁護するような発言がかなり出てきたのはそのせいだろう。

それに対抗するためか、「オリンピック憲章に反する」ということを批判の根拠に持ち出す人もいたが、オリンピックと関連しない場であれば、M氏の発言は許容されるのか？　それはないだろう。この発言は、民主主義に反しているのだから、民主主義を標榜する社会では、いつでもどこでも批判されてしかるべきなのだ。

ＳＮＳはいろんな人が反射的に発信しているのでやむをえないが、マスコミもほとんどその〝尻馬〟に乗るだけで、あらためて自分で疑問を抱き、考えるようなことはない。

こうして見てくると、この騒動はＭ氏個人の問題には到底収まらないことが分かる。はるかに深刻なことは、彼のような民主主義的資質も思考力ももたない人物が長きにわたって政治家をして、オリンピック委員会のような重要な組織のトップを務めていること、何か大きなことをする時にそのような人物に依存し続けていること、さらには、思考力のなさにかけてはＭ氏に引けを取らない人たちがマスコミの大勢を占めていることだ。

そのすべてが、分かりやすい言葉に飛びつき、物事を安易に単純化し、まともに問うことも考えることもなく、発言したり批判したりすることに起因している。そのせいで短絡的な反応があふれ、大事な問題が見えなくなっているのである。

問う力は、誰にとって必要なのか？

日本では教育政策において、２０００年代以降、ゆとり教育が本格化するなかで、思考力の育成を重視してきた。その後、ゆとり教育からは方向転換したが、思考力を育てる方針は変わっていない。

そのさい「今の子どもは考える力がない」ということが大前提になっていることが多く、大人たちは、まるで自分たちには考える力があるかのように言う。自分のことは棚に上げて、世を憂い嘆く。

しかし先述の例を見れば分かるように、考える力が弱いのは大人でも同じことで、人生経験の長短に関わらず、日本の社会全体に見られる症状である。長年生きているのに身についていないぶん、大人のほうが深刻かもしれない。

思考力育成の必要が唱えられてから40年たった。それ以前も、それ以降も、考える力が一向に育てられていないとしたら、その原因の一つは、間違いなく大人も考える力がないからであり、どうすればそれを育てられるか分からないからだ。

考えることは問うことに基づいている。考えが漠然としているのは、問いが漠然としているからだ。具体的に考えるためには、具体的な問いを立てなければならない。**問いの質と量が思考の質と量を決める**。要するに、**考える力をつけるために重要なのは「問う力」である**。

だからこの本では、「問う」とはどういうことなのかを書いていく。ただし、教育やビジネス関連の本のように、勉強や仕事で成果を上げて成功者になることが趣旨ではない。そうではなく、「問う」ことが私たちの人生においてどのような意味をもつのか、何のために、何を、どのように問うのかについて述べていく。そのさい、まずは理論的なことを、さらには実践的なワークや問い進める方法についても説明していこう。

本書を読んだ人にとって、問うことが少しでも身近になり、よりよく問うことの必要性と可能性が実感できるようになればと願っている。

『問うとはどういうことか　人間的に生きるための思考のレッスン』　目次

第3章 具体的に、何を問うのか？

第4章 実際に、どのように問うのか？

第1章

問うことは、なぜ重要なのか？

私たちは、なぜ問わないのか？

生きていればいろいろと分からないこと、疑問に思うことがあるはずだ。けれども私たちは、普段それほど多くの問いをもつわけではない。問うことに躊躇し、抵抗を感じる。問うことは、思いのほか難しい。それはなぜなのか。

理由はおもに五つあるように思う。一つ目は、問うのが「歓迎されない」ということ、二つ目は、問うのが「攻撃的」だということ、三つ目は、問いは「与えられるもの」だということ、四つ目は、問うのが「面倒くさい」ということ、最後に、問うのは「怖い」ということである。

問うのは、基本歓迎されない

質問されると怒る人、嫌がる人、迷惑がる人は、そこらじゅうにいる。筆頭は学校の先生である。学校の先生は教えるのが仕事なので、どんな質問でも答えればいいと思うのだが、実際にはそうではない。

授業中に「先生、これはどういう意味ですか？」と聞くと、「自分で考えなさい」と答えるのを事実上拒否されたり、「そんなことも分からんのか！」とバカにされたりする。下校途中でジュースを買って怒られて、「何でダメなんですか？」と聞くと、「当たり前だ！」「ダメなものはダメだ！」とか「校則で決まってるんだ！」と、問題児扱いされる。問えば、基本、怒られる。そこまで行かなくても、嫌がられるか、迷惑がられる。質問は相手を不愉快にさせてしまう。

会社でも似たようなものである。質問すると怒られるのは、物分かりが悪いか、言うことを聞かない感じがするからだ。つまり頭が悪いか、態度が悪いかの証なのである。

さらにもっと根本的な理由がある。

学校教育では分かるようになることが目標である。「分かる」＝「質問がない」ということである。「質問がある」＝「分からないことがある」となると、その生徒がきちんと学んでいないか、先生がきちんと教えていないか、その両方かになる。いずれにせよ、学校教育の原則に反することになる。

だから**質問はないのが理想的なのである。**先生が「分かりましたか？」と聞いたら、「分かりました」「大丈夫です」と答えるのがよい。「分かりません」と言うのは、禁じられてはいないが、原則に反する〝問題〟が起きたことになる。

そういう生徒は、先生からは怒られ、クラスメートから笑われたりバカにされたりしても文句は言えない。恥をかき、いたたまれない思いをする。生徒もそれが分かっているので、分からなくても何も言わずに、分かったふりをする。

もちろんしていい質問もある。いわゆる〝いい質問〟である。どんな質問であれ、質問だというだけで嫌がる先生もいるが、〝いい質問〟なら歓迎ないし許容する先生もいる。

しかし〝いい〟質問をするのは難しい。質問として〝いい〟のか、先生が〝いい〟と思うのか、その場で判断するのは至難の業だ。だからよほど自信があるか、空気を読まないか、どうなっても気にしないかでなければ、質問はしないに越したことはない。

これもまた社会に出てからも大差ない。いや、もっと厳しいかもしれない。言われたことをしっかりやる。質問はしないほうがいい、するにあたっては最大限慎重でなければならない。そういうことを身につけさせるという点で、学校教育は社会に出てから必要なことをきちんと教えているとも言える。

問うのは、しばしば攻撃的である

私たちが問うことを嫌がるもう一つの理由は、相手を責めているように感じるからだ。実際質問をする人は、怒っていることが多い。

学校の先生が「何で宿題をやってこないんだ?」と聞く時、親が「どうして部屋を片づけないの?」と聞く時、恋人が「どうして連絡くれなかったの?」と聞く時、会社の上司が「何でこんなこともできないんだ?」と聞く時。

こういう質問にまともに答えてはならない。先生の質問に「一晩中ゲームやってたんで」と答えたり、親の質問に「面倒くさいし」と答えたりしたら、さらに火に油を注ぐだけだ。恋人の質問に「忙しかったから」と答えても、納得はしないだろう。「メッセージ送るくらいの時間あったでしょ?」となる。上司に何か答えても、「そんなのは言い訳だ!」と言われるのがオチだ。

要するに、これは質問のようで質問ではなく、その人はただ怒っているのである。「お前はダメな奴だ!」と言っているのだ。だから「なぜ」と聞かれているのに「すみません」と答えるのである。

他にも、問いは不満を表すこともある。共働きなのに家事をしない配偶者に対して、「なぜ私ばっかり家事をしないといけないの?」と言うことがある。ゲームばかりやっている子どもに対して、親は「どうしてちゃんと勉強しないの?」と聞くかもしれない。あるいは自分のことで、「どうしてこんなにミスばかりするんだろう?」と落ち込んだりする。

抗議の意味をもつ問いもある。授業で出された課題が有意義に思えなければ、生徒は先生に「どうしてこんなことしないといけないんですか?」と言いたくなるだろう。欲しい物を買ってもらえない子どもは、親に「何で買ってくれないの?」と文句を言うだろう。マンションを建てるさいの近隣住民への説明会で、「うちの庭に日が当たらなくなったらどうしてくれるんだ?」という苦情が出る。

不満や抗議の場合は、実際に答えを求めていることも多いが、納得する答えを返すのは難しいだろう。どのように答えても、さらに責められるかもしれない。だから質問されたほうは、質問そのものを封じ込めるか、相手をなだめるか、はぐらかして逃げようとする。

課題に異議を唱える生徒に対しては、「つべこべ言わずやれ!」とか「やらなかったら成績が下がるぞ!」とか。駄々をこねる子どもには「いい加減にしなさい!」と怒るか、「それはちょっと無理だからね、アイスクリームでも食べてなさい」とか。住民説明会での苦情には「それにつきましては、またこちらでも検討させていただきます」と、とりあえず言っておく。

このように問いはしばしば攻撃的である。だからできれば御免こうむりたい。そう思う人も多いだろう。

問いは、〝与えられるもの〟である

怒りや不満、抗議の気持ちを帯びた問いを除けば、そもそも私たちは、自分から問うのに慣れていない。むしろ問いというのは、外から与えられるものだという感覚が強いのではないか。

私たちがどこで問いに出会うのかと言えば、教科書やテストの中であったり、教師や上司からであったりすることが多い。それはやはりある種の〝テスト〟であって、一つとは限らないが、〝正解〟ないし〝望ましい答え〟がある。したがって問われることじたいが、試されている感じや責められている感じがしてあまり気持ちのいいことではない。教科書やテストに出てくる「問い」は、正しい答えを出さなければいけない。さもなければ、「間違いだ」とダメ出しをされ、×をつけられ、減点される。

英語の授業で先生から「この単語の意味は？」と聞かれるのも、一種のテストのようなものである。しかもそこには「ちゃんと分かっているのか？」「ちゃんと調べてきたのか？」と、多少とも脅しのニュアンスが込められている。

会社では、学校ほど露骨にテストのような質問は少ないだろうが、試されているような場面もある。上司から「君、このプランについてどう思う？」と前置きなしに突然聞かれたら、意図が分からず警戒するだろう。率直な意見を言えばいいのか、ただ「いいですね」と言ってほしいのか、あるいは逆に（上司が気に入らない人の案で）ケチをつけてほしいのか。自信がなければ、「どうでしょうね」と上司の出方をうかがうだろう。

与えられる問いは、背後にある意図をくみ取らなければならない。それは先生でも上司でも同じである。入試問題でも「出題者の意図を理解しないといけない」と言われるのはそのためだ。

　このように私たちは普段、問うよりも問われることが多く、たいていの場合、それは言わば〝試験〟である。正しく答えられるか、ミスをするか、どれくらいの点数が取れるか、合格か不合格か。つねに試され、緊張を強いられる。

　そこまででなくても、人から質問される時には、なんとなくでも〝正解〟があることが多い。

　農村の地域起こしのワークショップで、子どもに「この村のいいところは何？」と聞けば、子どもは「自然が豊かなところ」とか「人がやさしいところ」と言う。大人が言ってほしいことだ。講習や研修の後のアンケートで感想を聞かれれば、「ためになった」「刺激を受けた」と書くだろう。これも講師や主催者が望む答えだろう。

　要するに、質問をした人の期待に応じて喜ばせてあげるのが正しいのだ。言わば、空気を読める人間かどうか、思いやりのある人かどうかが試されているのである。

問うのは、かなり面倒くさい

自分が問われるのが嫌だから、当然自分から問うのも躊躇する。相手がどう思うか気になる。警戒されるのではないか、気まずくならないか、変に思われないか。詮索好きだとか、空気が読めないとか、失礼だと思われないか。怒っているとか、不満をもっているとか、反抗的だと思われないか。

だから質問するのは、かなり気を使う。実際に質問して、相手を困らせたり、怒らせたりすることもある。それならいっそしないほうがいい。適当に話を合わせておけばいい。要するに、面倒くさいのだ。

それに、問うことは考えることにつながる。だから、問えば、考えなくてもいいこと、考えても仕方がないことも考えざるをえなくなる。

なぜ世の中はこんなに不公平なのか? なぜ世の中に争いごとが絶えないのか? なぜあのように不正なことをした人間が罰せられないでいるのか? なぜ毎日こんなひどい事件が起きるのか? コロナはいつになったら収まるのか? 世の中にはなぜ幸せな人と不幸な人がいるのか? どうしてブラックな仕事がなくならないのか? どうしてAさんはこんなことを言うのか? なぜBさんはこんなことも分からないのか?

また、自分に問いを向けるのは、自分をあらためて見つめ直すことだ。それはしばしばあまり愉快なことではない。

なぜこんな仕事をしないといけないのか? なぜ自分はこんなにダメなのか? どう

すれば認めてもらえるのか？　なぜこんな家に生まれたのか？　なぜこんな人と結婚したのか？　自分のやっていることに意味はあるのか？　自分の将来はどうなるのか？何のために生きているのか？

こういうことを考えても、だいたいロクなことがない。答えのない問いを考えるのがいいという風潮もあるが、答えがなくて、ただ苦しいだけの問いもある。ポジティブな自分を発見することはあまりなく、世の中の理不尽さ、自分のくだらなさに気づくだけだ。

むしろだからこそ、ポジティブシンキングとか、「自分をほめてあげよう」というのが流行る。でもそんな無理しなくても、最初から問わなければ、世の中も自分も平和でいられる。問わないほうが楽なのだ。

問うのは、実は怖い

私たちは普段「分かること」を重視している。いろんなことを学んで分かろうとし、人の話を聞いて相手を分かろうとする。家でも学校でも会社でも、友だち関係でもそうだ。こうして私たちは、いつでもどこでも最後は「分かりました」と言うか、言わされる。

質問なんかすれば、「こんなことも知らないのか」とか「まだ分からないのか」とバカにされ、恥をかくかもしれない。だから問うのは怖いことなのだ。とくに知的な人、学歴が高い人は、「分かること」がアイデンティティになっているので、人並み以上に問うのを恐れる人がいる。

そんな思いをしたくないので、私たちは分かったふりをしたり、分かったことにしたり、分かったつもりになったりする。それがいちばん安全なのである。

また、分かるのが大事というのは、問いには答えがないといけないと思われているということでもある。だからとくに明確な答えの出ない問いは、「そんなことは考えても仕方ない」と忌避され、封殺される。あるいは、「そんなに悩まなくていいよ」と諭され、慰められる。

こうして私たちは、さまざまな形で問うことじたいを否定される。そうすると、疑問をもつことに〝罪悪感〟すらもつようになる。こんなことを疑問に思ってはいけないんだ、こんなことを疑問に思う自分はダメな人間なんだ、と。そんな思いに直面するのは怖いので、疑問をもつのを自らやめてしまうのである。

ここまで書いてきたように、私たちにはこれほどたくさんの問わない理由がある。問わないほうが〝正しく気楽に〟生きていける。なのに、どうして問う必要があるのだろうか。

問うことには、どういう意味があるのか？

問うのが難しいと言っても、私たちは日々の生活で、たえず人に問いかける。自分でもいろんな疑問を抱く。問いは私たちの生活に深く広くしみわたっている。問うことはそれだけ大切でもあるのだ。では、なぜ私たちは問うのか？　そこにはどのような意味があるのか？

問うという行為は…　①好奇心の表れ

知りたいこと、理解したいことがある時、私たちは問いかける。それは「好奇心」と呼ばれる。これが満たされるのは喜びであり、人生を豊かにしてくれる。好奇心は、問うことのもっともポジティブな形であり、知的好奇心と対人的好奇心の二種類がある。

知的好奇心

知的好奇心は、広い意味での学びの源である。

宇宙に興味をもった子どもが、太陽系の惑星について詳しく知りたがったり、ブラックホールの不思議に思いをはせたりする。火星はどんな星か？　水はあるのか？　生物はいるのか？　人は住めるのか？　ブラックホールはどこにあるのか？　どのようにできるのか？　中に入ったらどうなるのか？　図鑑を買ってもらって、なめるように読む。

学校でリサイクルの現状について習ったら、いろんなことが気になる。リサイクルは実際にどのように行われているのか？　何がどのようにリサイクルされるのか？　どのような技術を使って、どのように再利用されるのか？　また外国でリサイクルはどのように行われているのか？　百年前にもリサイクルは行われていたのか？

もっと日常的なことでも、知的好奇心は発揮される。

ピザが好きな人なら、どこでどんなピザが食べられているのか、いつごろピザが食べられるようになったのか、それ以前にイタリアでは何を食べていたのか知りたいと思うかもしれない。自分の家でも作りたいと思い、材料は何か、どこで手に入るのか、どうやって焼くといいのか知ろうとするだろう。トマトやバジルのソースも、最初は市販のものを買っていても、そのうち自分で作ろうと思うかもしれない。そうなると、どんなソースがあるか、どのようにして作るのかを問うだろう。

ゲームが好きなら、どうやったら攻略できるのか、ネットで調べたり、攻略本を買ってきて読んだりするだろう。どんなゲームが面白いか、新しいゲームは何か、友だちがどんなゲームをやっているのか知りたいと思うだろう。

このように知的好奇心は、特定のテーマについていろんなことを知ろうとする欲求である。

対人的好奇心

好奇心は人に対しても向けられる。誰かと出会い、一緒に何かをする。話す、遊ぶ、仕事をする。そうしたさまざまな他者との関係において、相手のことを知りたいと思う気持ちが対人的好奇心である。

最近知り合った人に好意をもったら、その人のことをいろいろと知りたくなるだろう。どこで生まれ育ち、普段どんなことをしているのか？　何が好きで、何が嫌いなのか？　自分のことをどう思っているのか？

直接の知り合いではなくても、自分が好きな芸能人についても、同様のことを知りたくなるだろう。

家族や友だちなど、すでによく知っている人についても、日々小さなことを知ろうとする。「今日何時に帰ってくるの？」「夕飯は何食べたい？」「週末は空いてる？」「その服どこで買ったの？」「最近駅前にできたカフェもう行った？」などなど。それ以前に会うたびに「元気？」と聞くだろう。

まして何か普段と違うことがあったら、疑問をもたずにはいられない。友だちが落ち込んでいたり、彼女が喜んでいたりすれば、何があったのか聞く。夫婦がケンカしてしばらく口を利かなければ、お互いどう思っているのか気になるだろう。子どもが家を出て一人暮らしを始めれば、元気でやっているのか、ちゃんとご飯を食べているのか心配になる。

こうした問いは、相手に対する関心である。関係を結ぼう、続けようとする気持ちの表れである。

もっともそれは時に、詮索好きにもなる。最近友だちが妙に楽しそうにしているが、彼氏ができたのか？　友だちの夫婦は最近仲が悪いみたいだが、何があったのか？　近所のMさんは大きな家に住んでいるが、収入はいくらくらいか？

特定の人物に対する執拗な関心をもてば、ストーカーになる。彼女は今どこで何をしているのか？　日々何を食べているのか？　誰と会って、誰とＬＩＮＥでつながっているのか？

こうした好奇心は、あまり上品とは言えず、場合によっては迷惑だったり恐怖だったりする。それでもある種の関心の表れである。関心がなく、関係をもとうとも思わない相手には、なんの疑問もわかず、何も聞こうとはしないだろう。

好奇心とは、物事に対してであれ、人に対してであれ、自ら関わろうとする意志である。それは、この世界で生きる原動力となる。だから私たちにとってなくてはならないものなのである。

問うという行為は…　②違和感の表れ

前項でも述べたように、問うことは、たんなる疑問ではなく、怒り、反発、抗議、苦悩、不安などの感情を帯びていることも多い。逆の言い方をすれば、問いがないのは、そうした感情を抱かないということでもある。

そういう聖人君子、女神か天使のような人もいるかもしれない。実際、気立てのいい良家のお嬢さんや天真爛漫な子どもはそれに近い。人徳があって泰然自若とした人も、どこかにいるだろう。

そのような人たちは、言われたこと、教えられたことをそのまま素直に受け入れて順応しているか、そもそも物事にこだわらず誰に何を言われても意に介していないのか、すべて分かったうえで世の中を達観しているのか、そのいずれかなのだろう。

しかし、大半の凡庸な人たちは、そういうわけにはいかない。

この世はそんな平穏無事でも善意に満ちてもいない。様々な悪意も愚かさもある。不条理もある。そういうものに出会えば、腹も立つ。つらく苦しくなることもある。不安になることもある。

どれほど順応しているように見えても、無邪気に能天気に生きているように見えても、実際には、そういう感情を抱えていることが多い。何かがしっくりこない、合わない。居心地が悪く、居場所がないからだ。そのような違和感を抱き、いろんなことに疑問を感じている。

にもかかわらず、それを口にするのは難しい。そんなことをしたら、家でも学校でも会社でも、怒られたり、あきれられたり、嫌がられたり、無視されたり……何か間違いを犯したかのような反応を受けることが多い。それは不適応の印だからだ。

その結果、私たちは違和感を覚えても、自分のほうが間違っている、自分に問題があると思う。違和感を抑え込み、平気なふりをして生きるようになる。そうやって表面的にであれ、順応していれば、それはそれで幸せに暮らしていける。

とはいえ、違和感と共に生きるのは、悪いことではない。むしろ当たり前のことだ。この世は自分のためにできているわけではなく、自分と世界の間には必ずズレがある。その違和感が疑問となって現れる。

だから**物事に疑問をもつのは、自分が生きるそのままの現実に出会うことであり、言**

わば、自分の〝存在証明〟である。私たちは問うことではじめて、自分の人生を生きることができるのだ。

このように問うことは、誰にとっても重要であるが、難しく勇気のいることでもある。だからとりあえずは、何であれ疑問をもてばいい。しかし、いつまでもずっとやみくもに問うていればいいわけではない。

人に問いかければ、先に述べたように、嫌がられたり、笑われたり、怒られたり、恥をかいたりして、トラブルになりかねない。自分で問うだけでも、下手をすると、ただ怒りや不安を増幅させる。自分で自分を追い詰め、苦しめる。あるいは、愚にもつかないことばかり考える。

だから少しずつでも、適切に問えるようになるのがいい。そのために問うことがどういうことなのか、より深く理解する必要がある。何のために問うのか？　何を問うのか？　どのように問うのか？　以下の章で、それを述べていこう。

第2章

そもそも、何のために問うのか？

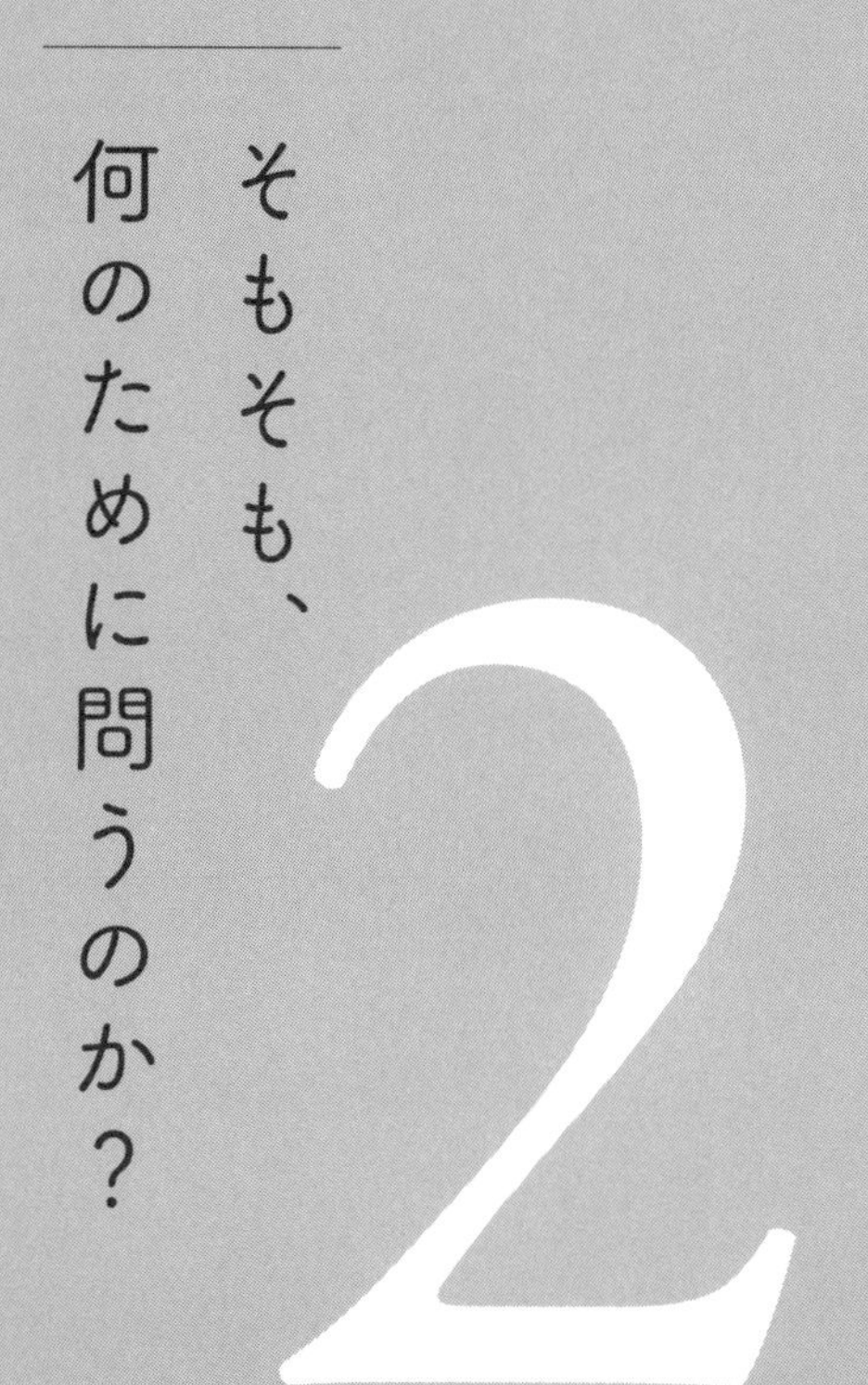

目的をもって問う

問いには、目的がはっきりしているものとそうでないものがある——おなかが減った。何を食べようかな？　仕事が終わらなかった。課長に怒られるだろうか？　明日は試験だ！　ちゃんとできるかな？　明日は遠足だ！　晴れるかな？

こうした問いは、欲望や期待、喜怒哀楽の表現にすぎない。ただ漠然と、なんとなく問うているだけである。**問うことは目的と結びついている時、より意義あるものとなり、その力を発揮する。**ここではその目的を1　知ること、2　理解すること、3　考えること、4　自由になることに分けて説明していこう。

1　知るために問う

人間は全知全能ではないので、知らないことがあるのは当然である。どんな物知りでも、ありとあらゆることを知っているということはない。知らないことはつねにあり、私たちは誰もが多かれ少なかれ物知らずである。

もちろん日常の個々の場面では、何でもかんでも知っている必要はない。これくらい知っていれば十分という程度があって、それ以上知るのは、時に無駄でさえある。知らないほうがいいこともある。だから、知るに値することが何かを知っておくといい。それは「新しいこと」と「正しいこと」である。

「新しいこと」を知る

一般に無知は恥とされ、嘲笑の対象になる。だから多くの人が知らないことを隠して、知ったかぶりをする。けれども、知らないということは、けっして悪いことではない。未知のことは、すべて自分にとって新しいことであり、新しいことを知るのは、基本的にはいいことである。ではその意義は何か。

新しいことを知れば、知っていることが増え、そうすれば、できることも増え、世界が広がり、楽しみも増える。

たとえば、「このへんにおいしいケーキ屋はないか？」と問えば、自分で見つけたり人に教えてもらったりして、おいしいケーキを買って味わうことができる。「日本で育児書はいつ頃からあったのか？」と問えば、江戸時代に『小児養生録』や『小児必用養育草』

といった本があることが分かる。そして当時の子育てがどのようなものであったのか知ることができる。そうやって新しい世界が広がるのは、楽しいことだろう。

関心のあることを増やして自ら問う。そうすれば、新たな可能性を広げるチャンスも、自分で増やせるようになる。そして似たような関心をもった仲間も増える。

よりよい選択のために問う

ケーキ屋や昔の育児書なら、大した問題ではないと思うかもしれない。知っても知らなくても、人生の楽しさが多少変わるだけで、実害はないだろう。だが、同じようなことは、大学進学や就職のような、人生の重要な決断においても起こる。

大学入試の時に、大学と学部の名前と偏差値くらいは、いろんな機会に資料として配布されるので、意識して問わなくても分かるだろう。しかしそこから「この大学はどんな大学で、この学部にはどんな学科があるんだろう?」「この大学にはどんな先生がいるんだろう?」「この学校のキャンパスライフはどんなふうだろう?」といったことについて調べれば、大学についてより深く知ることができる。

そうすると、実際にその大学に通った時にどうなるのか具体的にイメージできる。そのほうがモティベーションも上がるし、受験勉強にも精が出るにちがいない。

逆にそうやっていろいろ疑問をもって調べずに、大学の知名度と偏差値だけを頼りに受験すると、入学した後にこんなはずじゃなかったとか、何をしていいか分からない、ということになりかねない。

就職活動の時も、会社のことをよく調べずに、大まかな希望の業種だけ決めて(あるいはそれすら決めずに)、会社のことをよく調べずに、志望理由書や自己PRに適当にもっともらしいことを書いて、あちこちに応募する。そんなどこに出してもいいようなものでは、まともな会社なら相手にされないだろう。それでも採用されるような会社は、あなたでなくても誰でもいいとしか思っていない会社か、とんでもないブラック企業だったりする。あるいは、思っていた仕事と全然違ってたなんてことになる。

それぞれの会社がどんな会社か、勤務時間や給与、女性にとって働きやすいか、副業が可能かなど、より詳しい条件を知っていれば、そういうことは避けやすくなる。志望理由書も自己PRもよりよいものが書けて、自分に合った仕事につける。

新しいことを知ろうとして自ら問うことができれば、物事をより深く知り、より自分に合ったよりよい行動をとることができる。損をしない、人にいいように利用されたり、傷つけられたりしない。そうやって自分を守ることにもなるのである。

関心だけでは偏狭なままになる

関心のあることを増やせばよいだけであれば、私たちは知りたいことだけを知る。自分にとって都合のいいこと、快適なことだけを知り、それ以外は興味をもたない。そのほうが楽しく平穏に生きていける。

昨今よく言われるように、インターネットでは、自分用にカスタマイズされた情報ばかりが集まるようになっている。SNSでは自分と近い人たちとつながるようになっている。**自分とは異なる考え方や価値観、自分が普段は接しない情報は、意識的に努力しなければ出会うこともない。**それでもたくさんの情報、ネットワークができるので、自分は十分知っている、自分が知っていることだけがすべてだと思ってしまう。

このような傾向は、とくに今日、若い人の間で顕著だと言われる。しかし「はじめに」で見たように、偏った知識や狭い見識で、すべてを理解したつもりで自分を疑わない人は、どの世代にも多い。

昔は人間関係も情報も範囲が限られていたので、今よりもいっそう偏狭なままでいられ、それを乗り越えることも難しかっただろう。けっして今よりも新しいものに開かれていたわけではない。

他方、今日では、そうしたネットワークや知識の範囲が途方もなく拡大し量的にも増えた。だからよりいろんなことが知られるようになった。少なくとも技術的にはいくらでもできる。それだけにかえって、異なる世界との接点が〝意外に〟少なく、それぞれで閉じていることがより問題として意識されるのだろう。

いろんな立場の意見や情報が入ってきても、スピードが速いので消化したり咀嚼したりする余裕がなく、ただ流れ去っていくだけになる。このように関心がなければ、新しいことを知ることはできないが、関心だけではその外に出ることができない。ならばどうすればよいのか。

楽しいことばかりではない

世の中、知って楽しいことばかりではない。自分と異なる価値観や考え方には、興味を引かれるものもあれば、まったく引かれないものもある。場合によっては不快感を引き起こすこともある。

お金に無頓着な人にとって、何でもお金に換算して損だの得だの言う人の話はうんざりするだろう。車やドライブについて饒舌に語る人の話は、興味のない人には退屈きわまりない。日本の戦争犯罪についての話は、そんなものはなかったとか大したことなかった、「日本はいい国なんだ！」と信じたい人にとっては、屈辱的で耐えがたいだろう。

このように埋めがたい溝がある人どうしは、個々人の生活においては、無理に関わらなくてもいいし、お互いのことを知る必要もない。そこでは疑問をもっても、相手に対する反感を増幅させるだけである。

他方で私たちは、知らなくてもいいのに、つい問うてしまうこともある。たとえば、人の陰口(ツイッターその他のSNSで言われる悪口)が気になってしまう。「あの人は私のこと、どんなふうに悪く言ってるんだろう?」

あるいは、恋人のスマホにLINEの通知が来て「何だろう?」と思って見てみたら、浮気していることが分かった。「誰だろう?」と思ってチェックしたら、自分の友だちだった。

知れば苦しむことが分かっても、知らずにはいられない。楽しいことよりも、苦しいことのほうが気になって仕方ない。「知らぬが仏」だと思っていても、つい「今度は何だろう?」「また何かやっているんじゃないか?」と思ってしまう。

さらに傷つくことが分かっていても、知りたい気持ちが抑えられない。自分を苦しめるために問い、つらい答えを見つける。要するに、**楽しくないことでも、新しいこと、知らないことは知りたいと思うのだ。**

楽しくなくても知っておいたほうがいいこと

楽しくなくても、知りたくなくても、知っていたほうがいいこともある。もっと言えば、知らないといけないこともある。

たとえば、部下の苦労を知らずに不満を抱いている上司は、部下がどんなふうに仕事をして、どんな思いをしているのか、さほど気にかけないかもしれない。

先進国の人間は、開発途上国で自分たちが消費しているものがどのように作られているのか、誰がどんなふうに働いているのか、想像もしないだろう。

子育てをしているパートナーがどんな一日を送っているか、どんなことに喜び、どんなことで苦しんでいるのか、分かっているつもりで分かっていないだろう。

こういうことは本当のことを知らなければ、ノーテンキに生きていられる。自分には落ち度はなく、これでいいんだと思って安心していられる。それに、誰しも自分のことで手一杯で、他の人のことを気にしている余裕なんかない。

ところがそういう自分の周りにある諸々のことを知ってしまうと、負い目を感じたり、気遣いをしないといけなくなったりする。それでもただノーテンキに、自分には問題がないと思って生きるよりいいのではないか。

本当は恨まれたり、バカにされたり、憐れまれたり、気の利かない鈍感な人間だと思われているのに、それを知らずにいるのは〝裸の王様〟のようである。そんな滑稽な生き方は、誰も望まないだろう。

つらくても新しいことを知るのは、現実とより深く複雑な関わりをもつことであり、それは平面的で単純な関わりよりも、絶対的に豊かである。どれほど面倒くさくても、傷ついたり腹が立ったり、罪悪感を抱いたりすることになっても、やはり知ったほうがいいことがあるのだ。

「正しいこと」を知る

正しいことを知るとは、現実の中へより深く入ること、世の中、他者、自分について、より深く理解することである。

新しいことを知るのは必ずしも心地いいわけではないし、知らなくてもいいこと、知らないほうがいいこともある。他方、正しいことを知るのは、同じく心地いいわけではないこともあるが、知らなくてもいいとか知らないほうがいいということはない。そこが大きな違いである。

正しいことを知る難しさ

ところが厄介なのは、世の中には、正しいことと間違っていることがごちゃ混ぜになっていて、何が正しくて、何が間違っているのか、判別が難しいことだ。自分が知っていることも、本当に正しいのかどうか、なかなか確信がもてない。

いや、正しいかどうか疑っているならまだいい。むしろ普通私たちは、自分が知っている(と思っている)ことは、どこかで聞いたり読んだりしたこと、つまり、たんなる伝聞であっても、正しいと思いがちである。慎重な人なら、どこで読んだか、誰から聞いたか、その情報源の信頼度を考えるだろう。

百科事典に載っていることは信用できるが、ネットの掲示板に書いてあることは信用できない。専門家の言うことは信じるが、近所の人が立ち話で言っていることは信用できない。好きな人の言うことは信じるが、嫌いな人の言うことは信じない。こうした情報源の信頼度は、誰もが気にするわけではないし、気にする人がつねに正しい判断ができるわけでもない。正しいと言われている情報源が、間違っていることもある。

権威ある人たちというのは、自分たちにとって都合の悪いことは言わないものだ。戦時中の大本営発表は、けっして過去のものではなく、今日でも程度の差こそあれ、政府、専門家集団、会社、学校など、いたるところで見られる。

だから正しいことを確実に知るのは、きわめて難しい。私たちが知っていることは、実際には知っていると思っているだけで、実は勘違いとか思い込みなのかもしれない。

それでもたいていの場合、「知っている」＝「正しい」と思っている。したがって、正しいことを知ろうとするなら、自分が知っている＝正しいと思っていることについて、あらためて疑い、自らに問いかけてみなければならない――「本当にそうだろうか？」

ここでは、正しいことを知る障壁となるもの、あるいはそれがゆえに正しいことを知る必要が生じるきっかけとなるものとして、「通説」「うわさ話」「思い込み」を取り上げよう。

通説 ～ 広く知られていれば正しいか？

通説、すなわち一般によく言われていることは、「みんなそう思っている」感じがするだけに、正しいと思われがちである。少なくとも、そういう前提で話していても、人から訂正されたり、笑われたりすることがないだけにあらためて疑うことがない。

しかし通説というのは、たんに広く知られているというだけで、正しいとは限らないので、とりあえず一回は疑ってみることが大事である。そのさいとくに、過去にさかのぼって問うてみるといい――「昔はどうだったんだろう？」

たとえば、近年凶悪な少年犯罪が増えているような言い方がなされるが、本当にそうなのだろうか？　かつて少年による凶悪犯罪はどれくらい起きていたのか？

凶悪犯罪というのは、強盗、殺人、放火、強姦を指すが、いずれも１９６０年がピークでその後は急速に減少し、80年代以降3分の1から4分の1で推移している（平成12年度版警察白書）。

増えているような印象をもっているのは、おそらく報道のあり方の違いである。かつては情報網も交通網も今ほど発達していないので、地方で起きた事件など、よほどのことがないかぎり、全国で大々的に報道はされない。地方紙の新聞に出る程度だったろう。

現在では日本のどこで起きてもマスコミが出かけて行って、競ってテレビで放送する。つまり、報道される回数が増えたのである。

また、昔はみんな母乳で育てていたと多くの人が思っている。だから粉ミルクなんかに頼らなくても、本来母乳だけで子どもは育てられるのだ、と言われたりする。

しかし実際には、身分の高い人は乳母に授乳をさせ、貧しい人のなかには乳が出ずに、もらい乳をしていた人も多かった。母親のお乳が出なければ、米のとぎ汁、砂糖水などを代わりに飲ませていたが、それで子どもが生き延びるのは難しかっただろう。結局十分に授乳できず、なくなった子どももたくさんいた。いずれにせよ、昔だからと言って、母乳で育てていたわけではないのである。

こうした通説が間違っているのは、ネットや本で調べれば、比較的簡単に分かることも少なくない。そうでないものについては、たまたまそのことについて研究した人がいて、その人の書いたものにたどりつければ分かるが、それには努力と運が必要である。

自分が見たものが信用できるかどうかは、どういう人が書いたのか、その人の肩書からある程度は判断できる。SNSの書き込みや匿名の人が書いたものは信用できないが、はっきり名前が分かる専門家や研究者のような人が書いたものや、百科事典などの記述であれば、信用できるだろう。そうやって調べれば、間違っているとまでは確信できなくても、少なくともそのまま真に受けるべきではないと分かる。

さらに、**通説を疑ったほうがいいのは、それがしばしば抑圧や差別の背景となっていたり、その結果、問題解決のための対処が間違った方向へ行ったりするからである。**

たとえば、少年犯罪は増加や凶悪化を理由に厳罰化に向かっているが、実際には未成年による凶悪犯罪は昔よりもずっと少なくなっている。したがって本当に必要なのは、厳罰化ではなく、別のことなのではないか？　もしそれでも厳罰化するのであれば、犯罪の増加や凶悪化とは別の根拠づけが必要になるが、どのような理由がありうるのか？

昔も母乳で育てるのが当たり前でなかったのなら、今日それにこだわるのはなぜなのか？　母親の精神的・肉体的負担があまりに大きいなら、他の選択肢を取ることに罪悪感を覚える必要などないのではないか？　だとしたら、授乳をはじめ子育てについてもっと別の対処の仕方があるのではないか？　などなど。

このように通説は、世の中では「正しいもの」として広く受け入れられているため、私たちの思考や行動をより深いところから強く拘束する。しかし実際には正しくないことも多いので、それを問い直すことで、個々人がそれにとらわれず自由になれたり、社会的にもより適切な対応がとれたりするようになる。

うわさ話 〜 ホントかウソかどうやって見分けるのか？

ここで言う「うわさ話」とは、伝聞の一種で、本当かどうかが曖昧なものを指す。人から聞いた話だけでなく、最近ではSNSで出回る情報も、そこに含められるだろう。

うわさは、間違っていたり事実から外れたりしていれば、それは「ウソ」であり、「デマ」だと言われる。

しかし「火のない所に煙は立たぬ」とも言われるので、どこか真実が含まれているんじゃないかと考えられたりもする。伝聞であるがゆえに、間違っているということが判明しないかぎり、それはそのまま正しいと信じてしまう。

また、ある人がそれを「デマ」とか「フェイクニュース」だと言っても、そう思わない人にとって、それはむしろより「真実」だと思われたりする。そうなると、お互いが相手を「バカだ」「だまされている」と言い合うことになる。結局うわさ話の真偽を誰にとっても明確に示すのは、しばしば非常に困難である。

真偽を知ることの難しさ

うわさは通説と違って、専門家のように頼りにできる情報源がはっきりとあるわけではない。

直接見聞きした人の話なら、間接的に伝え聞いただけの人よりは、正しいのかもしれないが、そういう人に確認できるとは限らない。直接見聞きした人でも、その人がどれくらい公平で冷静な人なのか、その人の人柄によっても信頼度は変わる。話を誇張したがる人、自分の好みや都合に合わせて話を変えてしまう人、偏った見方をする人もいる。当事者や出来事との関わりがポジティブかネガティブかによっても、見方は変わってくる。ある人が仕事で成功した時、仲が良ければ、その人がどんなに努力したかを見るだろうが、仲が悪ければ、どれくらいいろんな人をこき使ったかとか、誰にどれだけ取り入ったかを見るかもしれない。

週末の緑地公園の花見について、好意的に見る人は、家族や友だちどうしでお弁当を食べながら歓談しているのをほほえましく思うだろう。花見を嫌う人は、騒々しくマナーをわきまえない迷惑行為ばかりに目が行って、楽しそうにしている人を見ても疎ましく思うだろう。

このように人や出来事について語られることの何が真実なのか言うのは、簡単ではない。いろんな人に確かめ、それらを突き合わせることで、真実がどのへんにあるのか分かってくることもあるが、人によって言うことが違いすぎて、逆に分からなくなることもある。誰かの言っていることが間違っていたりウソだったりするのかもしれないが、どの人の言うことも正しく、一理あるのかもしれない。

ネガティブなことが真実？

うわさ話の場合、何が本当かよりも、何が面白いかのほうが重要だ。〝面白い話〟ほど〝本当のこと〟だと信じやすい。ここで言う〝面白い〟とは、意外なことであり、概して失敗や過ち、不運や不幸のようなネガティブなことが多く、**私たちは人や物事のそういう悪い面を真実だと思いたがる。**

本当はそんなひどいことをする人間だったんだ！　そんなとんでもないことがあったんだ！

それはある意味〝新たな発見〟であり、私たちの好奇心を刺激してくれる。そこから問いもたくさん出てくる。ひどい人については「どんな人間なのか？」「どんな職業なのか？」「何歳くらいか？」「他にも何か変なことをやっていないか？」など。ひどい出来事についてなら「いつ、どこで起きたのか？」「どんな人が関わっていたのか？」「その後何があったのか？」とか。

いわゆる陰謀論も同様である。テロや暗殺、クーデターや金融危機などの社会的・政治的混乱が、秘密結社や政府機関によって引き起こされたと考える時も、そうした黒幕について「それはどういう組織か？」「どんな人たちが属しているのか？」「他にどんなことに関わったか？」など、陰謀への好奇心から疑問が次々にわいてくる。

けれども、こうした問いは、うわさで言われている〝悪いこと〟についての好奇心なので、さらに〝悪いこと〟を探して見つけ、〝正しいこと〟と見なす。それ以外のことは、仮に実際に本当のことでも、無視されるか否定される。そして「本当のことを知っているのは自分（たち）のほうだ」と確信を深め、自分に疑問をもたなくなる。

なぜ誹謗中傷が起きるのか？

私たちはまた、とりわけ他人の失敗や過ち、不幸を喜び、歓迎する傾向にある。「他人の不幸は蜜の味」と言われる通りである。そこでは真偽を確かめようとする慎重な態度など、どこかへ行ってしまう。

相手が親しい人、好意を抱いている人のことであれば、何かやむをえない事情があったのではないか、本当は違うのかもしれないと考えることもあるが、そうでなければ、そのようなことは露ほども考えず、ひたすらおとしめる。

公平に物事を見ようという気持ちは起きない。その代わりに、非難や憤慨、侮蔑や嘲笑といった相手への否定や攻撃が前面に出てくる。やがてそれが誹謗中傷に発展する。

すると、良識のある人は「そんなふうに人を傷つけるべきではない」「人権侵害だ」といった批判をする。だが誹謗中傷は収まらない。繰り返し起こる。

そういう人たちは、思慮や想像力を欠いていて、された人がどれほど傷つき、苦しむのか考えていないと言われることがある。だからもっと考えましょう、もっと人のことを思いやりましょう、と言われる。

けれども残念ながら、誹謗中傷する人は、おそらく相手がどれほど傷つき苦しむか、よく分かっていてそうしている。それは思慮や想像力の欠如でもない。むしろ思慮も想像力もたくましく特定のネガティブな方向へ広がり、歯止めが利かなくなっているのだ。「何でそんなことができるんだ?」「それがいけないって何で分からないんだ?」「どんな育ち方をしたらこんな人間になるんだ?」「こんなやつを許していいのか?」——そしてクズ、ゴミ、消えろ、死ね!と言う。

このような誹謗中傷に対して倫理や道徳は、概して無力だ。いくら「そういうことはやめましょう」と良心に訴えても止められるわけではない。なぜなら、そうやって**人を否定し攻撃することで、自分は正しく優れた人間だと思い込むことができる**からである。

これは、一種の自己肯定感、自己効力感の経験であって、要するに気持ちがいいのである。それを得ようとするのは、誰もが当たり前のようにもつ欲求だ。人を否定して攻撃することでそれを満たせるなら、こんな手っ取り早く便利なことはない。だからますますそこにハマり、依存症のようになっていく。

誹謗中傷は、愚かなわけでも異常なわけでもない。醜くて歪んではいても、ある意味ごく自然な欲求に根差しているのである。むしろ自分に正義があり、倫理的にも正しいとすら思っている。

だからそれをなくす手立ては、根本的には存在しない。法的に規制し、違反者を処罰する制度や枠組みを作ることで、ある程度抑制することができるだけである。

それに、明確な誹謗中傷まで行かなくても、その一歩二歩手前のことなら、自分は良心的でまともな人間だと思っている人の間ですら、かなり日常茶飯事であろう。とくに正義感の強い人は、こいつはケシカラン！　ちょっと懲らしめてやろう！　私が言わなきゃ！と思って批判し、正論をぶつける。そういうのもほとんど同類だ。

うわさ話に対して距離を取り、意識的であれ無意識的であれ、誹謗中傷をしないでおきたいのであれば、自分の正しさをつねにどこかで留保し、自分は正しくないかもしれないと思っておくことだ。人を安直に非難したくなったら、正義ではなく快楽のためにそうしようとしているのではないかと、一度は自らに問いかけることだ。それをしなければ、正しいことを知ろうとする努力を放棄することになる。

思い込み ～ 知的であれば何が正しいか分かるか？

通説とうわさ話は、外から与えられるものだが、「思い込み」は自分自身がもつものだと言える。もちろん通説もうわさ話も、それを信じて疑わなければ、その人の思い込みでもある。

思い込みはネガティブな場合と、ポジティブな場合がある。

ネガティブな思い込みは、物事を根本的に悪く捉える。たとえば、ある人が自分を裏切った（仕事や恋愛）と思い込むと、その後に抱く疑問は、裏切りの証拠を集めるためだけのものになりやすい。

「今一人だと言っていたが、本当は誰かと一緒なのではないか？」「あの言葉は私に対する批判だったのではないか？」「忙しいと言っていたが、私を避けているのではないか？」等々。

こういう問いをいくら積み重ねても、相手に対する否定的な見方が訂正されることはなく、むしろ強化されるだけだろう。そうした疑念を打ち消すようなことがあっても、思い込みが強ければ、それを却下してしまう。

ネガティブな思い込みは、たんにその価値を認めないか無視する場合もある。たとえば、ある芸能人のことを何の魅力も感じなかったり、「何で売れてるのか分からない」と思っていたりすると、その人が主演の映画は「どうせしょうもない」と決めつけてしまったり、そもそも眼中に入らなかったりする。

ところがこの種の思い込みは、何かの拍子になくなり、ひっくり返ることがある。その俳優が、たまたま見たドラマでとても魅力的な役を演じていて、それ以来「なかなかいいいな」と思うと、それまで〝食わず嫌い〟で見ていなかったその人の作品も見て、いいと思うようになる。それどころかファンになったりする。

似たようなことは、芸能人でなくても作家でもあるだろうし、人でなくても、スポーツや芸術などでも起こる。何をいいと思うかは好みや趣味の問題でもあるので、どちらが正しいわけでもないだろうが、少なくともより公平になったという意味で、正しさに近づいたと言える。

思い込みはネガティブだから、正しくものを見られないわけではない。ポジティブな思い込みも、同じくらい正しいことを知る妨げになる。典型的なのは「愛は盲目」、物事は好きすぎると冷静な判断ができなくなるような場合である。

粗暴な男を「男らしい」と思ったり、我がままなのを「自分をしっかりもっている」と思ったりする。いい加減なのを「細かいことにこだわらない」と思う。

物の見方の違いと言える場合もあるが、度を越せば、たんなる思い込みである。何かの拍子に冷めてしまえば、相手がロクデナシであることが分かる。何でそんなふうに思っていたのか分からなくなることすらある。

他にも、「親バカ」やファン心理、ナショナリズムも「愛は盲目」の一種だろう。自分の子どもが学校で悪いことをしていても「うちの子に限って……」と認めない。愛国主義者は、自国の過ちや罪、欠点を無視するか拒否し、つねに正しいこと、よいことをしていると思いたがる。

このように思い込みは、ポジティブであれネガティブであれ、正しいことを知るために問うということがない。なぜならそれは思い込みであるかぎり、自分が信じていることを疑う余地がないからである。

どちらにせよ、思い込みを乗り越えて正しいことを知るためには、やはりいったん冷静に自分に問いかける必要がある――「本当にそうなのか？」「それは思い込みではないのか？」

そこで必要なのは謙虚さと公平さである。こうした心性は、問うこと、真理の追求においては、頭の良さよりもずっと重要なのだ。知的であるがゆえに傲慢で独善的、偏見に満ちた人はたくさんいる。

他方で、知的ではなくても、物事を冷静かつ公平に見られる人もいる。むしろ知性に重きを置きすぎると、謙虚さと公平さを失う。そうなれば、知るための問いは、思い込みを強めるだけになる。

2 理解するために問う

本を読んだり、人の話を聞いたりしていて、分からないところがある。するといろんな問いがわいてくる――「これはどういう意味だろう？」「なぜこう言えるんだろう？」

「要するに何が言いたいんだろう?」

いつも100%理解しなくてもよい

あらゆる文章を100%理解しないといけないわけではなく、ある程度分かるだけでいい場合も多い。新聞や雑誌も、記事によっては、分からない言葉がいくつも出てくる。それでもだいたいのことが分かれば、普通は十分だろう。たとえば次のような文章である。

「経済産業省は『エネルギー基本計画』において、温室効果ガスの排出量を実質ゼロにする政府目標の達成に向け、再生可能エネルギーの拡大を最優先課題とした。」

……………………

「エネルギー基本計画」や「温室効果ガス」や「再生可能エネルギー」がよく分からない、もしくはより正確に理解したいのであれば、「エネルギー基本計画って何だろう?」「温室効果ガスって何だろう?」というふうに問い、本で調べるなりググるなりすればいい。

家電製品のパンフレット、取扱説明書も、すべてを理解することはない。とりあえず使うのに必要なことが分かればいい。分からなければ、人に聞くなり、ネットで調べればいい。

何であれ、物事を理解するという観点からすれば、分かることが増えれば、分からないことが減る。そのつどこれくらいで十分という程度があって、そこに至れば、さしあたり問題ない。

「より深く理解すること」の意味

けれども、より深く理解するというのは、いつでも可能だ。

経済産業省の文章では、「エネルギー基本計画」とは何か、いつからあるのか、これまでどのような計画が立てられ、具体的にどのような活動に結びつき、どの程度達成されてきたのか、再生可能エネルギーをどれくらい導入すれば、温室効果ガスを「実質ゼロ」にできるのか、そのために他にどのような方法があるのか、等々いろいろ問うことができる。

こうした問いかけによって、物事の理解はいくらでも深めることができる。同様のことは、人についても言える。

誰かと知り合う。名前から始まって、仕事や出身、住んでいるところ、趣味、食べ物の好き嫌いなど、お互いの話や問いかけのなかで分かってくる。そうやってお互いのことを知る。そういうたんなる「知り合い」にとどまる関係は、知っていることの多い少ないの違いはあるが、比較的表面的な付き合いであろう。

だが、たんなる知り合いであることを超えて、より深く理解しようと思えば、いろんなことについて話し問いかけ、お互いの考えや気持ちを理解しないといけない。

そのために「○○についてどう思う?」「何でそう思うの?」「一緒に○○しない?」「何かアイデアない?」などと問いかける。そうやって相手をより深く理解し、より親密な関係を築いていくのである。

そのように**理解したいと思う気持ちから出てくる疑問は大切にしたほうがいい**。それによって私たちははじめて、たんに知っているという表面的な次元の向こうへ深く入っていくことができるからである。

3 考えるために問う

学校で授業を受けている時、テスト勉強をしている時、人の話を聞いている時、仕事の説明を受けている時、私たちはより多く理解すれば分からないことが減り、疑問も減るように思っているだろう。

だから「何か質問はありませんか」と聞かれると、最後は「とくにありません。大丈夫です」と答える。これは、理解すべき範囲が決まっているからである。日常生活の多くのことがそうなっていて、さもなければ、物事は進まない。適度なところで疑問をもたないようにするのが生活の知恵というものだ。

知識や理解を超えて考える

他方、人生においては、これで十分理解したとは言えないこと、自分ではもう十分だと思っていても、さらに問う余地があることも多い。

たとえば、自分で本を読んだり、人の話を聞いた時、いろんなことが分かって面白かったが、もっと知りたいとか、理解したいことがさらに出てきたりする。

それは際限がなく、のめりこんでどんどん本を読んで、さらにいろんなことを広く深く理解する。その先に、ただ知り理解するとは違う、「考える」という次元が開けてくる。

先ほどの「経済産業省は『エネルギー基本計画』において、……」について言えば、こんな問いが出てくる——「再生可能エネルギーに転換したら、エネルギー問題は解決するのか？」「エネルギー問題が解決するとは、どういうことか？」「温室効果ガスの排出量を実質ゼロにするのにどのような方法があるのか？」「人類は歴史の中でどのようなエネルギー問題に直面し、どのようにして乗り越えてきたのか？」

もっと個人的な話でもいい。たとえば、知人から転職しようと思っているという話を聞いたとしよう。

今いる会社は、給料はいいが、仕事じたいはやりがいを感じない。40歳になって子どもの世話もあまりかからなくなってきた。親も年をとってきているし、故郷に戻って親孝行と地元のためにできることをしたい。

すると、こんな疑問がわいてくる――「生活に必要な収入はどれくらいか？」「やりがいとは何か？」「その人にとって故郷とはどういうところなのか？」「地元のためにできることは何か？」「何をすることが親孝行なのか？」

これらの問題は、部分的には知るための問い、理解するための問いだろう。けれども、答えが容易には得られなかったり、得られても明確に「これだ！」と言えなかったりして、一言では説明できないこともある。さらに説明を聞いたり、さらに本を読んだり、人と相談したりするうちにさらにいろんな疑問が出てくる。

つまり、**聞けば聞くほど、読めば読むほど、分からないことが増える。こうした明確な答えにたどり着くことなく問い続けるのが、考えるための問いの特徴である。**

考えることの自由さとその二面性

このように「知るための問い」や「理解するための問い」と違って、「考えるための問い」は、必ずしも答えに至ることを求めない。答えが出なくても、それは考えることを妨げるわけではなく、さらに考えることを求めるだけである。

考えるための問いは、知っていることや理解していることが増えても、減ることはない。知らなくても理解していなくても、問うことはできる。分かっても分からなくても、考えることはできる。

だから**考えることは、知ることよりも理解することよりも自由である。考えることができるというのは、誰にとっても、自由であることのもっとも確かな証なのだ。**

他方で、考えることは、自由だからこそ、適正な程度がはっきりしない。考えなさすぎるか、考えすぎるかになりやすい。考えが不十分なら、何かしら問えばいいのだが、考えすぎる時は、問いが止まらなくて、どこに向かうか分からなくなっていることが多い。

自由に考えをめぐらせて楽しいのであればいい。それで何か新たに思いついたり、新たに何か始めたりするのならいい。しかし本当かどうかも分からず空想をめぐらし、疑心暗鬼に陥る。

そうなると、考えるというより悩み苦しむ――「自分のやっていることには意味があるんだろうか?」「他の人はどう思っているんだろう?」「しょうもない、意味がない、やめればいい、と思っているのではないか?」「結局やる意味なんてないんじゃないか?」「でもやめてどうするんだろう?」「意味のあることって何だろう?」

こうしてグルグル考えているうちに深みにはまって抜け出せなくなったり、ネガティブな思考にとらわれ、何もできなくなったり、人と付き合えなくなったりする。
考えるために問うことは、自由であるがゆえに、同時にこのように不安定さの中にいる。この二面性がもっともよく表れるのが、思考の一種である「想像」である。

想像するために問う

「想像する」とは、「今ここにいる自分」以外の何かについて考えることである。具体的には、「過去を考える」、「未来を考える」、「他人のことを考える」、「存在しないことを考える」の四つに分けられる。

「想像の翼」を広げるとか羽ばたかせるといった表現があるように、想像するために問うことは、私たちが自らを縛るものから自由になることである。

ただし自由と言っても、必ずしも楽しいわけではない。あらゆる自由がそうであるように、縛りがないために行きすぎたり、それたりすることもある。思わぬところへ行ってしまい、そこに落ちてしまうこともある。それはしばしば苦しいことである。

いずれにしても重要なのは、やはり問うことである。問うことなくただ想像すると、それは容易にたんなる思い込みになる。そうなると、逆にそこから抜け出すのが難しく、かえって自由を失うことになる。

過去を考える

過去を問うこと、過去について考えることは、つねに現在の自分自身を問うことである。過去をどのように捉えるか、過去とどのように向き合うかが、現在への関わり方を決める。

自分が直接関わりないことであれば、知的好奇心で楽しい想像を膨らませることができる――「宇宙はどのようにして始まったのか？」「恐竜はどんな生活をしていたのか？」「人類はいつから恋愛するようになったのか？」「古代の人はなぜ、どのようにして海を渡ったのか？」「貨幣はどのようにして生まれたのか？」

このような疑問から新たな研究や発見が生まれたりする。それは、今を生きるたいていの人にとっては興味がないかもしれないが、まったく無関係なわけではない。そこには「今の私たちとどう違うのか？」「どのようにして現在のような状態になったのか？」といった現在の私たちへの問いが含まれている。

歴史的な広がりの中で自分を捉えるのは、現在中心の偏ったものの見方から引き離し、自分が途方もなく大きなものの中に抱かれていることを感じさせてくれる。

罪深く苦しい過去

他方、自分自身に直接関わること――個人であれ故郷であれ国であれ――となると、無関心でも冷静中立でいるのも難しくなる。自分がしたことへの後悔、身近な人が被った不幸、自分が犯した罪や過失、戦時中の国家の蛮行などの〝黒い歴史〟からは、目をそむけたくなる。

けれども、苦しむと分かっていても、問わずにはいられないこともある――「なぜ自分は失敗したのか？」「自分はなぜあんな目に合わないといけなかったのか？」「なぜ両親は離婚したのか？」「なぜ日本は玉砕作戦を実行したのか？」

また、事故や災害や戦争など、多くの人が命を落とすような出来事が起きた時、生き残った人はしばしば「なぜあの人たちが死んで、自分は生き残ったのか」と罪悪感にさいなまれる。

自分が不幸で取るに足らない人間、無力で価値のない人間に感じたり、罪悪感で押しつぶされそうになったりする。何とか自分を救い出そうとしてどれだけ考えてみても答えは出ない。問いの中に飲み込まれていく。

私たちは、苦しみたくないと思う一方で、何よりも苦しみに執着しやすい。あるいは自らを責めさいなむことで贖罪を求め、あるいは過去の自分や国家を責めることで現在の自分が正義であろうとする。私たちは時に、過去を否定することによってしか、現在を肯定できないのである。

輝かしい過去の栄光

逆に功績や成功、楽しい経験などは、ついつい考えたくなる。「彼の手伝いをしてあげて、喜んでくれただろうか？」「自分の投稿にどれくらいの人が〝いいね〟をしてくれたか？」「私たちの先祖は、かつてどれほど優れた文化をもっていたか？」「日本は戦時中、どれくらいアジアのためにいいことをしたのか？」

こういうことは、どんなに些細でも、言わば〝過去の栄光〟である。自分を鼓舞し、勇気づけてくれる。イマドキの言葉で言えば、自己承認欲求が満たされる。自分が善良で幸福な人間、それどころか優れた価値ある人間であるかのように思える。

現在の自分に自信がもてず、過去を否定すればさらに自信を失うなら、過去を肯定し、称揚するしかない。

過去を問うことは、このように自らを下げるか上げるか、傷つけるか癒すか、否定するか肯定するかのどちらかに傾きやすい。それじたいは、人間の性（さが）なので仕方ないが、その背後にどういう動機があるのか、どんな目的のために問うているのかは自問するといい。

自分の罪を消し去るためか、自分を正当化するためか、自分の自信のなさを隠すためか、現実を見ないようにするためか、他者を批判し排除するためか、自分を慰めて平穏を取り戻すためか。

動機や目的に自覚的になれば、肯定か否定かのどちらかに偏らなくてもよくなる。人間は罪があったらいけないわけでもなければ、称賛がなければいけないわけでもない。罪と共に生きること、称賛なしに生きること——そういうことができてもいい。そうすれば、過去を考えることで、私たちは自分をより俯瞰的、相対的に捉えることができ、より公平で自由になれる。

未来を考える

未来を問うこと、未来を考えることとは、自らが行くべき道を期待や不安とともに見定めようとすること、来るべき時の決断の準備をすることである。

「今度のデートはどこに行こうか?」「大阪に引っ越したら、どんな生活が待っているだろうか?」「10年後自分はどうなっているだろうか?」「面接ではどんなことを聞かれるのか?」「職を失ったら、どうなってしまうのか?」——こうしたすべての未来への問いが、何かの決断につながる。

恋人とのよりよい関係、新天地での生き方、将来のために今すべきこと、やりたい仕事につくための行動、不確かな暮らしへの覚悟。その時、期待は次の行動へと移す勇気を与えてくれる。不安はいざという時のために備えさせてくれる。

けれども、どちらも大きすぎるのはよくない。過大な期待を抱くことを「捕らぬ狸の皮算用」と言う――「この株が大当たりしたら何をしよう？」「高校生になったら、どんなステキな恋愛ができるんだろう？」「今度の首相には期待できるのではないか？」

そうやって現実味のないことを妄想する。どんなに真剣に考えていても、安直であることをまぬがれない。そして必要な準備をしなくなる。現実に裏切られる心構えもできない。そこには大いなる失望が待っている。

逆に不安が大きすぎると、必要な一歩が踏み出せなくなる――「失敗したらどうしよう？」「怒られたらどうしよう？」「うちの子はいつになったら結婚するんだろう？」「子どもが無事生まれなかったらどうしよう？」「親が認知症になったらどうしよう？」

そうやって不安が不安を呼ぶ――「失敗したら、みんなから責められる。そんなことになったらどうしよう？」「もう会社にはいられないかもしれない。そうしたらどうなるんだろう？」「収入がなくなってしまう。どうやって生きていけばいいのか？」「もう生きてはいけない。……」

心配して問いを重ねると、身動きがとれなくなり、最後はたいてい死ぬしかなくなる。

しかし「案ずるより産むが易し」ということわざもある。聖書にも「明日のことまで思い悩むな。明日のことは明日自らが思い悩む。その日の苦労は、その日だけで十分である」とある。

「明日は明日の風が吹く」のだから、未来のことを考えながらも、不要な期待や不安に縛られることなく、今できることをすればいい。そういう平静さが大切だ。

他人のことを考える

他の人のことを想像するのは、他者に関わり、他者と共に生きるためのもっとも基本的な能力である。それは他者への配慮であり、好奇心である。

想像するさいにはただ思い浮かべるのではなく、問うことが重要だと先に述べたが、このことはとくに他者について当てはまる。というのも、私たちは他の人について考えるさい、十分に問わないまま想像もせず、ただ勝手に思い込んだり決めつけたりすることが多いからである。

誰かが怒っている時、そのことに動揺して「あの人なんか怒ってる」と、とにかく逃げようとする。あるいは、こちらもそれに腹を立て、「なんて感じ悪いんだ！」とその人を非難する。

しかしそこで「なぜ彼は怒っているのか？」と問えば、それなりの理由があることが分かり、「もっともだ」と思うかもしれない。そうすれば、その人の力になろうとか、なだめようとか、共感しようとか、いろいろと関わり方が開けてくる。

最近友だちが落ち込んでいる。「ほっとこ」と見て見ぬふりをするのではなく、「彼に何があったのか？」と問う。何があったのか分かれば、そっとしておいたほうがいいのか、相談に乗ったほうがいいのか、知らないふりをして普段通りに付き合えばいいのか、さらに考える余地が出てくる。

他人の立場に立つのも、他者についての想像の一つである。ここでも問うことが重要である——「彼の立場だったら、自分はどうするだろうか？」「この計画について、彼はどのように思っているだろうか？」「そんなこと言われたら、どんな気持ちがするだろうか？」「彼女は彼氏と別れた後で、落ち込んでいるだろうか？」

世の中の出来事についても、いろいろと想像のために問うことができる——「最近の若者はなぜ就職してもすぐにやめるのか？」「専業主婦は時間がたっぷりあるのに、なぜ子育てに苦労するのか？」「貧困やDVで苦しんでいる子どもは、なぜ支援を求めないのか？」

とはいえ、このようなことは、そもそも問わないことも多い。私たちは他人の抱える問題に無頓着である。他の人がどうなろうと気にしない。なのに、分かった気になって決めつける――最近の若者は恵まれているので、忍耐力がないのだ。専業主婦は暇なのだから、子育てが大変だというのは甘えだ。困っているのにSOSが出せないのは、彼らに知識とコミュニケーション能力が足りないからだ、といった具合に。

他者のことを想像しているつもりでも、実は勝手な思い込みということが意外に多い。だからいったんは問わなければいけない。そして、すぐに思いつくような答えに飛びつく前に、まずは調べること、その人の思いを知るべきだ。可能なら実際に本人に聞くか、そのような本人の思いが書かれているものを読む。今だったら、SNSに書かれていることもある。

今の若い人にとっては、もともと雇用が安定しておらず、将来の見通しも明るくないまま、ただ我慢して仕事を続けるのに意味が見出せない。

子どもの世話は時間があったらあったで切りがなく、自分の思い通りにはいかないし、ずっと子どもと二人きりでいること、その間の全責任を負わないといけないのは大変な重圧である。

子どもであっても、自分の家庭に問題があると知られたくないし、助けが必要な不幸な境遇にいると思われたくない。

他者のことは、勝手に想像して決めつけるのではなく、まずは関心をもって知ろうとすることが重要である。そのうえで想像することも大事なのだが、むしろ「分からない」

とか「想像を超えている」という感覚をどこかでもっておかなければならない。

また、他の人について問うさいにもう一点注意しなければならないことがある。他人に関心をもつのは、しばしば「余計なお世話」であるということだ。とくに、実際にはさほど関心がないのに関心があるかのようにふるまうのは質（たち）が悪い。

あなたのため、子どものため、家族のため、日本のため、世のため人のためと言って、考えをめぐらし、あなたはそれでいいのか、子どもはこんなことでいいのか、日本はこのままでいいのか、世界は、人類は、……。

そして、これはよくない、あれはよくない、こうしたほうがいい、ああしたほうがいいとコメントしたりアドバイスしたりする。そして、こんなことでは○○はダメになる、こんなのは○○のためにならん！と憂いたり憤ったりする。

本当はさほど（もしくはまったく）利他的でもない人（つまりほとんどの人）がこういうことを言うのは、実は世のため人のためにそう言っているわけではない。ただたんに自分の〝好み〟を言っているだけである。

相手に対して何の責任もないか、最終的には責任のとりようがなく、本人にとっても結局どうでもいいことについて、あれこれいったりやったりするのは、つねに「余計なお世話」である。そうやって世の中、評論家、コメンテーター然とした輩があふれている。

勝手な決めつけも余計なお世話も、欠けているのは他者の尊重である。他の人のことは、そう簡単には分からないことを肝に銘じておくべきだ。その人のことを想像しようとして、それでもやはり届かないところがある。そのことを一種のあきらめと共に受け止めながら、問い続けることが重要なのだ。

存在しないことを考える

私たちは、存在しないことについて、未来でも過去でもなく、時間軸とは別に、現実とは違う次元のことを問うことができる。それは「もし〜なら、……」という仮定の問いから始まる。

「もし宇宙からエイリアンが襲ってきたら、地球はどうなるのか？」「もし死者がよみがえったら、私たちの生活はどうなるのか？」「もし人間が空を飛べたら、どんなことをするのか？」「もし動物たちと話ができたら、……」「もしどんな病気でも治るようになったら、……」「もし戦国時代にタイムスリップしたら、……」——ファンタジーの小説や映画の根底には、こうした問いがある。

自分についても、いろんな空想ができる——「もし宝くじで一億円当たったら、何に使おうか？」「もし女（男）に生まれていたら、どんな生活をしているだろう？」「もし母親がまだ生きていたら、……」「もし自分が死んだら、……」

以上はまったくの空想であるが、現実について語る時でも、それは現実そのものとは異なる。現実の一部であり、その人が切り取りたい、残したい、伝えたいと思うことであり、それがそのまま存在しているわけではない。そういう意味では、潜在的にはつねに「もし～なら、……」である。

どんな出来事も、誰の視点から見るかによって、まったく変わってくる。ある人がガンになって闘病生活を送っている場合、患者本人、家族、医者、看護師では、経験していることがまったく違う。同一の事実、現実などどこにもない。だからどういうふうに描こうと、「もし患者から見たら、……」「もし家族から見たら、……」「もし医者から見たら、……」「看護師から見たら、……」という〝仮想〟を含んでいる。

「存在しない」というと言いすぎかもしれないが、それじたいがあるわけではないという意味では存在しない。優れたドキュメンタリーが、今まで誰も気づかなかった、見えていなかったものに光を当てるのは、そういうことである。

歴史上の出来事――戦争、災害、事故、犯罪――も、誰の視点から見るかによって、まったく様相が変わってくる。たとえば、先の太平洋戦争については、当時の政治家や兵士の立場から描かれることが多い。あとは日本で戦禍に見舞われた人の話が語られる。それぞれ、どこにいたどういう人が経験したことなのかによって、まったく違う。

同様のことは個々人の経験にも言える。私たちは自分のことを通常自分の視点からしか見ない。しかしたとえば、家族のことでも、親から見た時と、子どもから見た時、子どもでも長男、長女、二男、二女から見た時では、かなり違っている。親にとっていい思い出の家族旅行も、子どもにとっては親に付き合っただけの面倒なものだったりする。家族といえども、理解し合うのが難しいのは、そうしたズレがあるからだ。私たちはごく身近な人ですら、実は見えていないのである。

4 自由になるために問う

ここまで問う目的を「知る」、「理解する」、「考える」の三つに分け、さらに「考える」のなかで「想像する」を分けて説明した。ではいったい何のために知り、理解し、考えるのか? それは、とりわけ「考える」、「想像する」のところで述べたように、自由になるためである。

私たちはいろんなものに縛られ、囚われている。**問うことのもっとも重要な意義は、そこから自由になることである。**そのような問いは、何となく感じる重苦しさ、否応なくわいてくる違和感、逃げ出したくなる衝動とともに到来する。

しかし、ただそのような瞬間を待つのではなく、自分自身を縛るものにあらためて意識を向ける。そうすることで自ら自由になる道が開ける。では私たちを縛るものとは何か。ここでは「常識」「偏見」「苦しみ」「無知」に分けて述べていこう。

常識から自由になる

常識というのは、どんなものが大事なのか、何がいいことなのかといった価値観、物事をどのように捉えるのかという物の見方を与える。そして、あれはいけない、これはいけない、あーしなきゃいけない、こーしなきゃいけないという規範を与える。

こうした常識があることで社会は安定し、それを身につけることで私たちは軋轢や衝突を起こさず、順応して生きていける。その結果、常識は自明なものとして受け入れるのが正しいように思われ、私たちの思考や行動をいっそう深く強力に縛りつける。

とはいえ、誰もが常識に忠実に生きているわけではない。世の中には〝非常識〟な人もいる。多くの人は、そういう人を非難し排除したり、嫌がって避けたりしようとする。あるいは、笑ってバカにする。そのような時は、一般に非常識な人に問題があると思われがちだが、実は常識のほうがおかしいのかもしれない。

だから「なんて非常識なんだ」とか「それはおかしい」とか「あんなのはダメだ」と思い、

「普通は……」と言いたくなったら、逆に常識や〝普通〟のほうを疑ってみるといい。

世の中で起こる革新的なことは、このような常識や普通に対する疑念から発することが多い。学者、政治家、実業家、技術者、活動家は、それぞれの分野における常識に立ち向かい、それを乗り越えることができたから、新しいことを成し遂げることができた。

もっともそうした〝スゴイ人〟の話は、たいていの人には無関係だろう。むしろ重要なのは、ごく身近なところにある常識への疑念である。典型的なのは、当たり前のことを知らない場合である。

たとえば、漢字が読めない（書けない）。アメリカの首都がニューヨークだと思っている。鎌倉幕府を開いた人が誰か知らない。ツイッターが何か分からない。「お米を研いで」と言われて、何をしていいか分からない。

確かにこのような人を目の当たりにすれば、驚くかもしれないし、吹き出したくなるかもしれない。「こんなことも知らないのか！」と。けれども、逆にこう問うてみよう。こんなことを知っていて何になるのか？　誰にとっての常識なのか？　なぜ知っているのが当たり前だと思うのか？　知らないと何か困るのか？　知らないことを馬鹿にすることにどういう意味があるのか？

たとえば、学級崩壊を起こしている授業では、生徒たちが先生の話を聞かず、おしゃべりしたり寝たり、スマホで音楽を聴いている。そういう高校生を見て、多くの人は

「どうしようもない子どもたちだ」と思うだろう。やっぱり学力の低い学校はダメだ、と。

しかし問題は高校生ではないのかもしれない。逆にこんなことを問うてもいい——授業じたいに聞く意味はあるのか？　授業が下手でつまらないのに、おとなしく聞かなければいけないのか？　授業で教えている内容に問題があるのではないか？　そもそも学校には何のために行くのか？

常識の側にいる人間は、自分がマジョリティなので（そう思っているので）、自分がおかしいかもしれないと疑うこともない。ただマジョリティと言うだけで、自分が正しいと思っている。一般にもそれが正しいとされる。だがそれは思考停止である。**マジョリティであることは、正しいことを意味しない。たんに「みんなそう思っている」だけで、みんな間違っているかもしれない。**

だから世の中には、常識によって苦しめられる人が思いのほか多い。学校に行かなければならない、会社はやめてはいけない、仕事は文句を言わず黙々とやるのがよい、空気を読まないとダメだ、結婚は男と女でするものだ、母親は子どもを愛するものだ、等々。

「……ねばならない」「……がよい」「……するものだ」——こういった表現で言われることは、怪しげな価値観、規範にすぎないのかもしれない。

何事にも基準はあってていいが、そこから外れることを許さないとか、それに合わせないとダメだと思うのはおかしい。少なくともそうでなくてもいいかもしれないと考え、本当にそうなのか、なぜそう言われるのか、問うてみるといい。常識から自由になるきっかけは、いたるところに転がっているのである。

偏見から自由になる

偏見とは、人や物事についての先入見のうち、公平さを欠いた見方であり、しばしば差別と結びつく。常識にも偏見が含まれているか、偏見に近いものがある。おそらくいわゆるステレオタイプというのは、常識に近い偏見と言えるだろう。

男らしさ、女らしさ、学生らしさなど、性別、年齢、学歴、職業、国籍、外見、社会的身分、世代に関する典型的なイメージがそうだ。たとえば、日本の女性はおしとやか(大和なでしこ)、イケメンは女ぐせが悪い、年配の男性は人の話を聞かない、体育会系は頭が筋肉でできている、老人は頑固だ、イタリア人は陽気だ、……

ものによってはほとんど偏見なのだが、世の中で広く共有されているので、それなりに正しいとされていて、公平さを欠いているとはあまり思われていない。むしろ偏見の特徴は、常識のように自分の外にあるのではなく、個人的な経験に由来し、個々人の中にあるという点である。

たとえば、ニューヨークでスリにあった人が、アメリカは危険な国だと思っているとか、学校で歴史の先生が大嫌いだったせいで、歴史は面白くないと思っている。昔嫌な思いをさせられた人と同じ名前の人と知り合うと、「嫌な奴なんだろうな」と思ったりする。

こうした個人的な経験じたいが特殊ではなく、よくあることであれば、そこから来る偏見も多くの人がもつ偏見になる。だがそれは逆に言えば、どれほど多くの人が思っていて、その意味で公平であるように見えても、偏見の可能性があるということだ。

たとえば、学校で発達障害をもっている生徒は、教員や他の生徒たちから「問題児」とされやすい。周りがみんなそう思っているのであれば、その生徒を「問題児」とするのは、不当ではないと考えるかもしれない。

しかし、そういう生徒が引き起こす〝問題〟は、授業のやり方（一方的な授業で、おとなしく聞いていることを要求する）や、周りの不寛容さが原因で〝問題〟だとされているだけのこともある。

確かに少し他の人とは違うのかもしれないが、それが〝問題〟かどうかは別問題である。問題があるのはその生徒ではなく、むしろ学校や周りのほうだという見方もできる。

どんな物の見方であれ、どこかに偏見が潜んでいるかもしれない。だからどこかでつねに「本当にそれで正しいのか」と自問してみるといい。

苦しみから自由になる

常識や「らしさ」に潜む偏見によって人を傷つけるだけでなく、自分自身がそれにとらわれて苦しむ。こうでなければいけない、これが当然、これが普通だ、と思って自分を追い詰める。

女性だから気遣いができないとダメだ。母親だから子どもをすべてに優先しないといけない。男だから弱音を吐くのはみっともない。障害者だから控えめにして、人の好意に感謝しなければならない。子どもは学校へ行くのが当然だ。

そう世の中で言われたり、自分で思い込んだりすると、その要求が満たせない自分はダメな人間なのか、劣っているんじゃないのか、異常なんじゃないかと悩む。

しかもそうやって苦しみながら、私たちはしばしば苦しみに執着する。苦しむことに意味を見出し、そこに自分の存在証明を求める。そしてそれを人にも押しつけて苦しめ、自分が正しいと信じようとする。だから苦しみを手放すことができない。

しかし**もし苦悩から自由になりたいなら、もとになっている常識や偏見から離れられればいい**。だから違和感を覚えたりつらいと感じたりするなら、自分に疑問をもつよりも、世の中の価値観や規範を問うたほうがいい――「本当にそうなのか？」「そうでなくてもいいのではないか？」

そこから自分に戻って問う――「無理に合わせなくてもいいんじゃないか？」

もちろんそうやって常識や「らしさ」に合わせなくなると、周りから非難されたり、仲間外れにされたりするかもしれない。だからある苦しみから逃れることで、別の苦しみの中に行ってしまうこともある。けれども、常識や「らしさ」に合っていないだけで自分を受け入れてくれないような偏狭な人たちと、付き合いを続ける必要がどれだけあるのだろうか。争うことも対立することもないが、無理して周りと友好的な関係でいることもない。そのような人たちから離れても、そんなことは気にしない、寛容な人たちが必ずどこかにいて、そのうち出会える。

さっさと偏狭な人の多い環境から抜け出して、もっと自由なところへ行く道がある。そしていつか、もともと周りにいた人たちも、大したことではなかったと、自分たちの偏狭さ、偏見に気づき、彼ら自身も自由になったりすることもあるのだ。そして自分自身、人のことを裁いて苦しめることもなくなる。

無知から自由になる

ここで言う「無知」というのは、知識量が少ないことではない。分かっているつもりだったが、実はちゃんと分かっていなかったということである。

私たちは、言葉や出来事の一般的なイメージから物事を理解しがちである。常識もステレオタイプも、そういうものだ。だが実際には、物事にはいろんな側面があり、よくよく見ていくと、そう簡単には語れないことが分かる。あるいは、普通にはまったく見えてこない側面がある。

大阪で会ったある年配の男性は、自分が戦時中海軍に所属していて、戦後無事帰還した時、怪我も飢えもしておらず元気だったので、終戦直後から活発に働いて大いに儲かった。大阪を復興した人にはそういう人がけっこう多いと語っていた。

戦時中小学生だった博多出身の老婦人の話。戦争末期、疎開していたところから遠くに見える博多の町が空襲で焼けるのを見て「きれい！」と言って先生に怒られたという思い出を嬉々として語っていた。

このように戦争の体験も記憶も、人によって違う。当たり前のことだが、「戦争」と言うと、ニュースや新聞、あるいは「語り部」からいかに悲惨であったか知らされる。それで何となく分かった気になる。「戦争は悲惨だから、二度としてはいけません！」

それは間違いではない。そう言っておけば、誰も「お前は分かっていない」とは言わない。けれどもその言葉だけではすくいきれないこともある。自分の理解や想像を超えていたり、それとはかなり違うことをふと耳にしたりする。すると、「悲惨」という言葉には収まりきらないもの、その〝奥〟にあるものを知る。

そして戦争について問う――「戦争の悲惨さとは何か？」「戦争はそれぞれの人に何をもたらしたのか？」「戦争は悲惨なだけのものなのか？」「そこにはどんな光や希望があったのか？」

偏差値の低い高校に行っている人は学力が低いのかと思っていたが、実際に行って話を聞いてみると、小学校や中学で不登校だった子が多いことが分かる。つまり、その子たちは、学力が低いというより、学ぶ機会がもてなかったのであって、周りや本人が言うように、〝頭が悪い〟わけではない。

すると問いがいくつも沸き起こる――「学力が低いとはどういうことか？」「〝底辺校〟とか〝教育困難校〟とは何か？」「誰にとっての何が困難なのか？」「なぜその子たちは学校に行けなかったのか？」「学ぶ機会が奪われたから底辺校に行くということでいいのか？」

たまたま今まで知らなかったことを見聞する。自分がいかに無知であったか思い知る。自分が思っていたことは、偏見であったことが判明する。**偏見は無知と表裏一体である。無知から解放されることは、偏見から解放されることである。**

私たちは自分自身や他人、世の中をたいていの場合、偏見のヴェールで覆われたまま見ている。現実の表面にかろうじて触れているだけで、その深層にまで届かない。無知を自覚して偏見から逃れられると、物事がよりはっきりと理解できる。

偏見はまた、差別を助長することも多い。差別もまた無知が原因なのだ。知らなかったのだから差別しているとは言えないという言い方があるが、そうではない。差別は偏見と同じくらい無知から生じる。

逆に**無知から解放されれば、差別からも距離を取ることができる。**より公平な態度を取れる。どんなことも偏見を含んでいるかもしれないと思えるようになる。物事を決めつけなくなる。分かっていると思い込まなくなる。物事からつねに多少なりとも距離を取れる。

「無知の知」とは、そうした自由さなのである。だから自分が分かった、分かっていると思っている時こそ、「本当はまだよくわかっていないのではないか」「まだ知らないことがあるのではないか」と自問すべきだ。

こうして自分の知識や理解や思考の外に出て、自分を外から見つめ直すことは、自分の限界を超えることである。それは必ずしも心地いいことではない。むしろ恐ろしい、つらいことである。しかしそこには自由がある。それを手に入れるために必要なのは、問う勇気である。

第3章

具体的に、何を問うのか？

問いの種類と役割を知る

問いにはいろんな種類がある。学校でも5W1Hくらいは習うだろうが、その一つ一つについて詳しく学ぶことはないだろう。ましてそれ以外にどんな問いがあるのかは、気にしたこともないかもしれない。しかし、**問いにどのような種類があって、どのような意味と役割があるのか知っていれば、いつ何を問えばいいか分かるようになる。**以下、問いの形を挙げ、続いてどういう時に何のために問うのか、どのような意味があるのか、具体的に説明していこう。

1 「意味」を問う――○○とはどういう意味か？

「○○は何を意味するか？」

「○○の意味は何か？」

「○○とはどういう意味か？」

「○○とはどういうことか？」

「どういうふうに○○なのか？」

「どういう意味で○○なのか？」

言葉の意味

話を聞いたり文章を読んだりしていて、言葉の意味が分からないことがある。そのさいおもに二つの場合が考えられる。

一つ目は、「知らない言葉」や「聞いたことはあるがよく分からない言葉」の意味を聞く場合である。部外者には理解しがたい業界用語や専門用語はその典型だが、もう少し一般的な言葉にも似たところがある――「コンプライアンスの意味は？」「ガチ勢ってどういう意味？」「土用の丑の日って何？」「受益者負担ってどういうこと？」といった問いである。

これらは知識を増やすもので、聞いたら聞いただけ（自分で調べてもいい）分かることが増える。気になれば聞けばいいし、気にならないなら聞き流せばいい。話の中でどうも重要そうだなと思うなら、聞くか調べるかしたほうがいい。

もう一つは、「知っている言葉の意味を明確にする」場合である。これはとくに、一般によく使われて、みんな知っているかのように思っているキーワードのようなものである。たとえば、共生、国際理解、多様性、対話、持続可能性、生きる力、主体性、コミュニケーション能力、創造性、自己責任、安全安心、勝ち組、男女平等といった言葉である。

こうした言葉は、流行りの大事な言葉として当たり前のように使われるので、質問すると、遅れている、非常識、物知らずと思われかねず、〝今さら聞けない！〟しかし、具体的にどのような意味で言っているのか分からないことも多い。

「これからの時代は生きる力を育んでいかないといけません」――「生きる力」とはどういう力か？

「私たちは多様性を大切にします」――どういう意味での「多様性」か？

「これからは、皆さんと対話していきたいと思います」――「対話する」とは、どういうことか？

こういういかにも〝それっぽい〟言葉を安易に使う人は、たいてい深く考えていないので、このような質問をすると、非常に困惑するか、不快に思うだろう。だから、時と場合をわきまえないといけない。が、相手に質問しなくても、自分で問い、考えるといい。そうすれば、流行りの言葉に惑わされず、物事をきちんと理解し、考えられるようになる。

同様のことは、ごく普通に何気なく使われる言葉にも言える。たとえば、「○○って面白いんだよ」(○○は人でも本でも町でもいいが)と言われても、どういう意味で面白いのか分からない。だから「どういうふうに面白いの?」「どういう意味で面白いの?」と聞く。同様に、次のように質問することができる。

「そんなことをしたら問題になります」——「どういうふうに問題になるのですか?」「どういう意味での問題ですか?」

「迷惑がかかるといけないので」——「どういう意味での迷惑ですか?」

「そんなことになったら責任が取れません」——「責任を取るってどうすることですか?」

「私たちって気が合うね」——「〃気が合う〃って何が合っているの?」

「そんなことをするのは女/男らしくない」——「女/男らしいってどういうこと?」

「いい母親/父親にならなきゃ」——「いい母親/父親ってどういう母親/父親?」

このように流行りのキーワードも含め、よく使われる、それでいて意味が曖昧なこうした言葉をほったらかしにしておくと、物事の理解がお粗末になるだけではない。だまされたり、そそのかされたり、押さえつけられたり、振り回されたり、簡単に理不尽な目にあう。しばしばそれに気づくこともない。そういう状態に陥らないようにするためにも、言葉の意味には敏感であったほうがいい。

行為の意味

言葉の意味は、辞書で調べたりググったり、人に質問したり自分で考えれば、比較的簡単に答えが出る。けれども行為の意味となると、自分の行為にせよ他人の行為にせよ、一概には答えられないことも多い。実際、自分がしていること、これからしようとすること、過去にしたことの意味が何なのかは、自分自身ですら必ずしも明確には分からない。最初は分からなかったが後から分かることもあるし、ある時分かっていた(と思っていた)のに、時間がたつと分からなくなることもある。

たとえば、「勉強して何の意味があるのか?」「自分が頑張って仕事をした意味は何だったのか?」「こんなつまらないこと、やる意味あるの?」といったことを問う。そのさい行為の動機や目的や結果を考えることが多い。自分が勉強をする意味は、志望校に合格することで支えられる。仕事をする意味は、成功や収入と結びつけて納得する。成功は、社会的意義や人からの評価によってもたらされる。

ただし、そもそも自分がすることの動機がしっかりしていて、目的がはっきりしていて、成果が出ている時は、意味など問わない。それは、意味がきちんとあるということでは必ずしもない。よくよく考えたら、大した意味はないかもしれない。あってもなくても気にならないというだけのことである。

自分のしていることの意味を問うのは、むしろ、動機や目的や結果が失われ、自分に向き合わざるをえなくなった時である。なぜそんなことをしているのか？　そんなことをして何になるのか？　もしくは、動機も目的も結果もあるように思えるのに、それが自分にとって意味があるように思えない時である。稼いだから何になるのか？　人の役に立っているから何なのか？

そのように自分がすること全般が意味を失っている時には、たいていの場合、生きている意味じたいが分からなくなっていることが多い。個々の行為と違って、生きていることには、それほど明確な目標や成果がない。普段、生きている意味を問わないのは、気にしていないからで、意味があるからではない。だからあらためて問うと「生きている意味がない」という結論になりかねない。

けれども、別に意味がないからと言って、生きるに値しないわけではない。だから結局、意味などあってもなくても、生きていればいい。そう構えていれば、そのうち意味が見つかることもあるし、あってもなくても気にならなくなる。

他の人から見た自分の行為の意味

もう一つ、自分の行為の意味が問題になる時がある。それは、他の人がどのように受け取るか、他の人にとっての意味が問われる時、とくにそれが自分にとっての意味とズレる時である。

「ありがた迷惑」と言われるように、自分は親切のつもりでやったことが、かえって相手に不利益を与えたり、不快な思いをさせたりすることがある。過剰なおもてなしのせいで相手に気を遣わせて疲れさせるとか、家事が下手な夫が家事をしたせいで、あとからやり直さないといけなくなったとか。あるいは、からかったつもりが、相手にとってはいじめであったとか、批判のつもりが中傷になっていたとか。何気なくやったことがやたらと感謝されることもある。

自分がそのつもりでなかったとしても、相手や周りの受け取り方が違えば、どちらが正しいかそう簡単には決められない。多くの場合、立場の強い人間の言うことが正しいとされるが、実際にはそれぞれにとって意味が異なるということである。

だから自分が何かする時、それが周りの人、相手がいる時はその人にとってどのようなことを意味するのかを考えなければならない。「そんなつもりではなかった」という自分の意図、「いい面もあった」という正当化は、言い訳にはなっても、それが相手や周りの人にとっての意味になることはない。**他の人にとっての意味は、まずは相手の立場として理解し、受け止めるべきである。**

他の人の行為の意味

自分自身の行為の意味も捉えがたいなら、他人についてはなおさらである。その動機や目的や結果は、本人の口から聞けるかもしれない。さもなければ、傍から見ていて分かること、推測できることから判断するしかない。

けれども、その人が本当のことを言っているのかどうかは分からない。本人が嘘をついているつもりがなくても、無意識のうちに本当のことを言うのを避けているかもしれない。また、こちらが推測したことが本人にとっての意味と一致しているとは限らない。だから本人から説明を聞いても、傍から見ていても、何の意味があるのかよく理解できないのに、その人自身にとっては明確な意味があることもある。

たとえば、ひたすらいろんな落ち葉を集めている人がいる。周りの人から見ると、そんなことをして何の意味があるのか分からない。しかし本人にとっては、一つ一つの葉っぱの表情の違い、その色合いの美しさは、何にもまして魅力的である。お金もかからず、世界中どこに行っても手に入る。その植物や土地についても調べれば、とても奥の深い趣味であろう。

逆に周囲にとってはどれほど明確な意味があるように見えても、——人の役に立っている、成功している、稼いでいる、家族がいる——本人にとってはまったく意味を失っているかもしれない。傍から見て順風満帆で、お金も名声も何でももっている人でも、絶望して自殺してしまうことがあるのはそのためだ。

このように他の人の行為の意味は、分かるようで結局のところ計り知れない。人を理解することには限界がある。この当たり前のことが受け入れられないために苦しむことは少なくない。

出来事の意味

出来事の意味は問わずにいられず、問うても容易に答えは出ない。誕生、成長、入学、卒業、結婚、離婚、病気、失業、事故、災害、戦争、肉親の死、……こうした出来事は、予測もできずに巻き込まれ、他者(時に多くの人たち)が関わっていて、いろんな要因が複雑に絡み合い、自分ではどうにもならないことがたくさんある。

だからその意味は、誰がどのように問うかによって大きく変わる。個人的な出来事であれ、社会や国家に起きたことであれ、**どういうことを意味しているのかは、誰にとっての意味なのかという問いと切り離すことができない。**

結婚も離婚も、自分にとっての意味とパートナーにとっての意味は違う。もちろん離婚は子どもにとってはまったく違う意味をもっている。戦争ともなれば、勝者と敗者、傷つけた側と傷ついた側、大きな被害を受けなかった人と、家族も財産も失った人とでは、意味が違う。そこでは客観的な事実を確定できたとしても、そのことは体験した人、記憶している人、伝え聞いた人それぞれにとっての主観的な事実がある。

だから、出来事の意味をめぐって正否を問うのは、あまり意味がない。たしかに同じ境遇の人どうしであれば、共感しあうことはできる。しかしそうでなければ、嘘や勘違いでないかぎり、互いに受け止めるか、さもなければ、関知しないようにすることしかできない。それでもなお、出来事の意味を問うのは、この複雑で捉えがたい世の中、そこで他者と共に生きることについて理解し、考えるためである。

2 「本質」を問う――○○とは結局何か？

「○○とは何か？」

「○○の本質は何か？」
「○○とは結局何か？」
「そもそも○○とは何か？」

本質への問いとは、たんなる説明や定義ではなく、そのものを成り立たせている固有の特徴を捉えようとする問いである。しばしば哲学的な問いの代表のように言われる。

「人間とは何か」――「理性的動物である」
「遊びとは何か」――「自由で楽しい行動である」
「器の本質は何か」――「内側の空虚である」

このように書くと、日常生活ではあまり縁のない問いのように思うかもしれない。だが本質を問うというのは、実は珍しいことではない。しかも生きるうえでは、哲学的な問いよりずっと切実な場合が多い。「そもそもこれって何だっけ？」と、原点に戻って考えたいとか、いちばん大事なことをあらためてはっきりさせたい時である。

たとえば、学校の先生は授業以外に、いろんな報告書を書かされ、校則を守らせるために生徒たちを怒鳴り、守らなかった生徒を呼び出し、保護者からの苦情に対応しないといけない。そうやって日々の雑事に忙殺されているうちに、自分が何をしているのか分からなくなる。そしてふと問う――「そもそも教師って何？　教育って何？」これは、教師や教育が、本来どのようなものであるのか、そのもっとも重要なことは何なのか、つまり「本質」を問うているのである。

旅行へ行くのに、あれこれ自分で考えるのが面倒くさくて、ツアーに参加する。移動も休憩も食事も買い物もすべてスケジュール通りにこなしていく。行く先々でアリバイ作りのように写真を撮り、お土産を買って帰る。家で一息ついて思うのだ――「旅行って何だっけ?」と。

親が亡くなり、葬儀場で業者に指示されるがまま葬式が〝滞りなく〟進行する。そして斎場で遺体を火葬する。2時間後、骨になった親を小さな壺に納める。その他もろもろ、いろんな手続きを終えて平常に戻った時に思う――「そもそも死者を弔うって、どういうことなんだろう?」と。

こうした問いはすべて本質への問いである。私たちは普段、いろんなことを気にして、目の前のことをなんとかこなしている。世の中で行われていることに合わせて生きている。それが当たり前であり、そうするしかない、それでいいと思っている。

だが、ある時ふと疑問を抱く――これでいいのか? 本当は違うのではないか? そうして原点に立ち戻り、本質を問うことで、物事のいちばん大事なことに向き合えるようになるのである。

3 「理由」を問う——なぜ○○なのか？

「なぜ／どうして○○なのか？」
「何のために○○するのか？」
「○○の原因／目的／動機／根拠は何か？」

ここで言う「理由」とは、原因、目的、動機、根拠を指している。
原因：「なぜ失敗したのか？」「どうしてその事故が起きたのか？」
目的：「何のために勉強をするのか？」「何のために結婚するのか？」
動機：「なぜその本を買ったのか？」「なぜ今日の昼食はラーメンを食べるのか？」
根拠：「なぜそれをいいと思うのか？」「なぜその被告は有罪なのか？」

物事はその「原因」が分かることで、行為はその「目的」や「動機」が明らかになることで、判断や意見はその「根拠」が与えられることで、この世界の中にしかるべき位置をもつようになる。それで理解しやすくなり、話にも説得力が出てくる。だから理由を問うのは、自分と他者に対して物事をより深く理解できるようにしたい時、自分の身に起きたことや自分の言動を人に対して納得させたい時、世の中で起きたことや人の言動に関して納得できない時である。

私たちは、不十分であろうと、屁理屈であろうと、つねに何らかの理由を挙げることができる。だから理由への問いは、意味への問いと違い、必ず何らかの答えを出すことができる。他方で理由への問いには終わりがない。どこまでも問い進めることができる。「なぜ学校へ行くのか？」――「将来いい仕事につきたいから」――「将来なぜいい仕事につきたいのか？」――「収入が多いから」――「なぜ収入が多いほうがいいのか？」――「そのほうがいろんなことができるから」――「なぜいろんなことができるといいのか？」――「いろんなことができたほうが幸せだから」――「なぜ幸せであろうとするのか？」――……

思考を深めるとか、物事を深掘りするというのは、たいていの場合、理由を問うことでできるようになる。だからそれを習慣づけるといい。しかしあまりやりすぎると、底なし沼にはまってしまうので、途中でやめる節度も必要である。

4 「方法」を問う——どのように○○するか？

「どのように○○するか？」
「○○はどのようにするのか？」
「どうすれば○○できるのか？」

方法への問いは、英語で言えばhowの問いであり、次の二つの種類がある。

一つ目は、目の前にあるもの、思い浮かべているものがどのようにしてできたのか、物事が成立する経緯やプロセスを考える問いである。

寄木細工を見る——「どうやって作ったんだろう？」

星空を見る——「星はどうやって生まれたんだろう？」

精子と卵子が結合することで人間が誕生する——「あんなに小さな卵から、どのようにして複雑な構造をもった生命体ができるのか？」

こうしたことを知ると、世界の謎が解き明かされるようで、知的好奇心を満たしてくれる。

二つ目は、欲求を満たしたり目標を達成したりするために、具体的にどのような行動をすればいいかを知ろうとする問いである。

親子丼を食べたい！——「どうやって作るのか？」

バレーボールでスパイクをうまく打ちたい！——「どうすれば上達するのか？」

確定申告しないと！——「どうやってすればいいのか？」

このような問いの答えは、ノウハウとか方法知と呼ばれ、私たちが行動する力、可能性を高めてくれる。

どちらの方法への問いも、さらに細かく問うことができるが、とくにノウハウ、方法知は、しばしば暗黙知、意識されない知識を前提に成り立っている。したがってある方法知が手に入ったからと言って、それができるようになるとは限らない。

たとえば親子丼を作るのに、レシピを見ると「玉ねぎを薄切りにする」と書いてある。では「薄切り」とはどれくらいのことなのか？　その時包丁はどのように使うのか？包丁を使う時、手はどのように動かすのか？　包丁の使い方を知らなければ、そもそも薄切りなどうまくできないし、それ以前に手や指の動かし方が分からなければ、何もできない。

このように方法知には、表立って意識されない層が幾重にもあって、必要なことを一つ一つ問うことはできない。実際に試行錯誤を繰り返してはじめて〝身〟につけることができる。そのため方法への問い、あることをどのようにすればいいかは、実際にはよく分からないのに、あらためて言葉に出して問わないことも多い。

たとえば、「ちゃんと話し合いましょう」「お互い仲良くしましょう」「しっかり考えてください」「頑張れ！」などとよく言われる。しかし、そもそもどうやって話し合えばいいのか、どうすれば仲良くなれるのか、どうすれば考えられるのか、どのように頑張るのか分からない。それどころか、その言葉が指している状態や行為——話し合う、仲良くする、考える、頑張る——がどのようなことを指しているのか分からない。だからそのやり方が分からないのは当然である。

こうした一見何気ない、ごく普通に思えることは、できる人はできる、できない人はできない。そしてできる人は、当たり前すぎて説明できないと思い、できない人は自分が無能であるように感じてしまう。いずれにせよ、こうした暗黙の方法知は、問うことも答えることもきわめて難しい。しかしだからこそ、問う価値があると考えたほうがいい。

5 「状況」を問う

——誰がいつどこで何をなぜどうしたのか？

これは「誰が」、「いつ」、「どこで」、「何を」、「なぜ」、「どのように」という、いわゆる5W1H（who, when, where, what, why, how）である。新聞や報告で必要な情報だとされるが、別の言い方をすれば、**具体的な状況の説明をするための問い**であると言える。

私たちが普段話したり書いたりしている時は、このすべてが必要なわけではない。ただ、**話が分かりにくい時（使っている言葉が難しいことを除いて）、このうちの重要ないくつかが抜けていることが多い**。それを補い、より詳しく知るために問う。

「夏は旅行に行ってきたんだ」――「いつ？」――「8月の末」――「どこへ？」――「箱根」――「どうして箱根？」――「近場で涼しいから」――「何をしに？」――「キャンプ」――「どうやって？」――「車で」――「誰と？」――「友だちと」

逆に言えば、状況が具体的に示されれば、話はずっと分かりやすく、相手に伝わりやすくなる。

5W1Hの中で私がとくに重要だと思うのは、「誰」を問うものである。それは「誰が」だけではなく「誰に」「誰の」「誰を」「誰と」「誰にとって」も含む。この「誰」を明らかにしないために、私たちはその出来事や行為や判断について、知らず知らずのうちに偏った考え方をしたり、思い込みをしたりする。

「そんなことをしたら怒られる」と言われたら、「誰に？」と問うてみる。すると、誰が怒るのか分からない、誰も怒る人はいないということもある。きちんと説明すれば怒られないかもしれない。「校則の是非について話し合いました」と言われたら、「誰と?」と問うてみる。誰と話したかによって、話の意味合いが変わる。先生どうしが話したのか、保護者と話したのか、生徒と話したのかによって議論の方向も目的もまったく違ってくる。「それは問題だ」と言うのはよく聞く言葉だが、「誰にとって?」とか「誰の問題?」ということを考えてみる。すると、それはその人やその周りの人にとって問題であるにすぎず、他の人にとっては問題ではなかったりする。

「誰」が曖昧なままの話は、暗黙のうちにマジョリティや自分に近い人たちの視点からしかものを考えていないことが多い。だから**「誰」を問うことは、より公平な見方をするためにぜひとも必要なのである。**

6 「関係」を問う
——○○と△△はどのように関係しているか?

「○○と△△はどのように関係しているか?」(関係)
「○○と△△はどちらが〜か?」(比較)

「○○と△△はどのように違うのか？」「○○と△△の相違点は何か？」（相違）
「○○と△△はどういう点で似ている／共通しているのか？」「○○と△△の類似点／共通点は何か？」（類似・共通）
「どこまでが○○で、どこからが△△なのか？」（区別）
「○○であると、△△ということになるのか？」（因果／条件・結果）

ここで言う「関係」にはいろいろな意味があり、右に挙げているように、「比較」「相違」「類似」「区別」「因果や条件・結果」も含む。

いわゆる二つ（以上）のものの関係については、「学歴と収入はどのように関係しているのか？」「愛と憎しみはどう関係しているのか？」といった問いがある。比較については、「お金と名誉とどちらが大切か？」「ご飯とパンとどちらが好きか？」などが挙げられる。

相違については、「〝やさしい〟のと〝あまい〟のはどのように違うのか？」「恋と愛の違いは何か？」、類似・共通については「スポーツと語学の習得はどこが似ているのか？」「学校と刑務所の共通点は何か？」などが考えられる。区別としては「どこまでが仕事で、どこからが遊びなのか？」「どこまでが愛情で、どこからが執着なのか？」、因果や条件・結果の問いは、「努力をすれば、報われるのか？」「お金があれば、幸せになれるのか？」といった例が挙げられる。

関係を問うことは、二つ以上のものの間に何らかのつながりを見出して考えることである。そのつながりは、学歴と収入、ご飯とパン、恋と愛のように、多くの人が気になるものもあれば、お金と名誉のように、あらためて疑問に思うものもある。

このようにさまざまな関連に注意を向けることで、世の中にあるもの、自分が経験することをより繊細に捉えたり、より広い視点から捉えたりできるようになる。あるいは、学校と刑務所、スポーツと語学のように、通常ではまったく関係があると思われていないものの間につながりを〝発見〟することもある。

それは時に革命的ですらある。アイザック・ニュートンが「リンゴは地面に落ちるのに、なぜ月は落ちてこないのか？」と問うた時、それまでまったく異なると思われていた地上と天界の間に同じ原理が働いているのではないかと考えた。それが宇宙をあまねく貫く万有引力の発見に彼を導き、近代物理学を誕生させたのである。

7 「事例」を問う――たとえばどういうことか？

「たとえば、どういうことか？」

「具体的にはどうするのか？」

「例としては、どういうことが挙げられるか？」

具体的に考える

私たちの思考はしばしば粗雑で、それっぽい言葉だけですまそうとする。

一見もっともなことを言っているようで、具体的にどういうことなのかよく分からない。

「仕事を評価するという時、たとえばどんなことを評価するのか？」

「〝問題がある〟って言うけど、たとえばどういうこと？」

「〝努力します〟って、具体的にどうするの？」

頭のいい人は、抽象的な言葉を駆使するのが得意である。逆に抽象的な言葉を多用すると、頭がいいように見える。

「多様性を尊重する持続可能な社会の実現のために、各方面の有識者の意見を広く集め、抜本的かつ効果的な未来志向の提言をまとめたい」

政治集会やシンポジウム等でいかにも誰かが言いそうな言葉である。だが「多様性」

「尊重」「持続可能」「有識者」「抜本的」「効果的」「未来志向」など、いずれも具体的に何を指しているのか分からない。それを聞いてみても、とたんに話に詰まってしまう人は少なくない。そういう人の話は、もっともらしく聞こえるので、つい「そうなんだ！」と思わされてしまう。だが、そこにはありがちな言葉の表面的な結びつきがあるだけで、実際には内容が空虚でリアリティもない。

また、抽象的な言葉ばかり使って人と話をしていると、実はほとんど似た考え方をしているのに、言葉尻を捉えて延々議論している場合もある。逆に使っている言葉が共通しているために、実はまったく意見がズレているのに、共感しあっていることもある。具体的な事例にそくして考えていれば、ズレがあってもそれが明確になり、きちんとかみ合った議論ができる。一人で物を考える時でも、物事を明瞭に理解し、人に正確に伝えることができる。

ただし、そのさい問題となっていることにとってふさわしい事例を見つけることが非常に重要である。そうしないと、考えるべき方向からズレたり、誤解を招いたりする。だから具体的な事例を問うのは、通常思われているよりも、ずっと重要で難しい。見つけた事例が本当に適切か、一度は問うたほうがいい。

反例を問う

「そうでない場合はないか？」
「他の可能性はないか？」

私たちは油断すると、自分にとって都合がいい、偏った考え方をしがちである。あるいは「これいい！」とあるアイデアに飛びついたり、誰かの話を聞いて「なるほど！」と思ったりして、それが正しいと思い込む。

だが、そうではない場合を考えないと、本当にそれが正しいかどうか分からない。

「人間は幸福を求めると言うが、そうでない場合はないか？」
「努力は報われると言うが、それが当てはまらないケースはないか？」
「英語を学ぶには英語圏に行くのが一般的だが、別の可能性はないか？」
「今年の夏休みは海に行こうと思うが、他にいい過ごし方はないか？」

こうして反例や別の可能性を考えることで、より公平でバランスの取れた、したがってより説得力のある考え方ができるようになる。

8 「要点」を問う――要するにどういうことか？

「要点は何か？」

「要するにどういうことか？」

「大事な点は何か？」

「結論は何か？」

「結局何が言いたいのか？」

「一言で言うとどうなるか？」


これらは要点や結論をはっきりさせるための問いである。いわゆる論文やレポートで必要なだけではない。いろいろと話したり考えたりしているうちに、混乱して話が分からなくなった時、「要するにどういうこと？」とか「結局何が言いたいんだろう？」と問うといい。

話の中で大事なことが要点で、最終的に大事なことが結論だと言えよう。これを意識して問うようにしないと、グダグダといろいろ並べ立てるだけで、要領を得ない話になる。そういう時に「何が大事なのか？」「要点は何か？」と問う。すると考えが整理され、大事なこととそうでないことが取捨選択できる。

結論にせよ要点にせよ、それを明確にしつつ、そう言えるように理由、方法や事例などを並べて話を組み立てれば、話の全体が伝わりやすくなる。

9 「意見」を問う——あなたはどう思うのか？

「あなたはどう思うのか？」
「あなたの意見は何か？」

世の中にはいろいろと事情を説明したり、「あの人はこう言っている」「この人の考えはこうだ」と、人の意見をあれこれ言ったりしながら、自分の考えを言わない人がいる。論文でも、誰が何を言った、どこにどういうことが書いてあると事細かく述べるが、自分の意見がなかったり、不明瞭だったりする人がいる。そのような時、「それであなたはどう思うの？」と聞く。自分の文章や話がそうなっているなら、「自分はどう思っているだろう？」と自問するといい。

意見をもつとは、物事に対する自分の関わり方を決めるということである。それは責任のある思考をするということでもある。だからこそ、自分の意見を言う場合は、適当に思いついたことを口にするのではなく、ここで挙げた他のいろいろな問いを意識しなければならない。言葉の意味、そのように考える理由、それを説明する具体例、結局何が言いたいのかという結論を考え、その全体を自分の意見として組み立てていくのである。

10 「真偽」を問う――本当にそうか？

「本当にそうか？」

誰かが言っていること、自分が考えていることを、無条件に正しいと見なしていいのか？――常識を疑ってみる。自分の考えや他の人が言うことを留保し、あらためて問うてみる。

「昔の人は環境と調和して生活していたと言われるが、本当にそうだろうか？」

「アメリカではみんな自分の意見をもっていると言うが、本当にそうか？」

「何でも言えるのが親友だって言うけど、本当にそうかな？」

　もちろん何でもかんでも疑えばいいというわけではない。けれども、世の中で当たり前のように言われること、正しそうに思われること、自分の意見について、時に立ち止まり、本当にそうか、そうでないことはないか考えてみる。それは一つには批判的精神の発揮であるが、何事もすぐに真偽を決めない知的な謙虚さでもある。私たちの思考は、この二つを兼ね備えることで、しなやかさと強さをもつようになる。

第4章

実際に、どのように問うのか？

問いの方向を決める

問うためには、まず疑問に思わなければいけない。何の疑問も感じなければ、問うこともない。だから問うための第一歩は、疑問を感じる方法、引っかかり、違和感を覚えるにはどうすればいいかを知ることである。

疑問を感じないところで感じるようにするのだから、この第一歩がすでに難しいかもしれない。仮に疑問が浮かんだとしても、すぐに安直な答えに飛びつく。SNSで誰かが言っていることに「いいね！」をして満足する。逆に自分がいいと思わないことは、反射的に攻撃するか、たんに無視する。いずれにせよ疑問はすぐに消えてしまう。

疑問が消えずずっとモヤモヤが続いても、どのように問えばいいのか分からず、途方に暮れる。変な方向へ行ってしまって行き詰まる。あるいは、同じところをグルグル回って先に進めない。そしていつの間にか、問うのをやめてしまう。

問うには方法がある。一歩を踏み出せば、問い進めるやり方がある。そのさい、第3章の問いの種類をどのように使うかが重要である。注意すべきこと、コツもある。ここではそれについて述べていこう。

問いには〝方向〟がある。大きく分けると、一方向と多方向の二つがある。一方向の問い方はさらに、「前に進む」「後ろに進む」「上に進む」「下に進む」の四つに分けられる。多方向の問い方としては、「比較する」「違う視点から見る」「反対の立場から見る」「時間軸を移動する」「空間軸を移動する」を挙げておこう。

1 一方向的に問う

前に進む──それでどうするのか？

「問いを前に進める」とは、ある発言や出来事があって、それが何につながるのか、どういう意味があるのかを考えることである。「それでどうするのか？」「それでどうなるのか？」「それが何につながるのか？」「だから何なのか？」といった問いがそれにあたる。

私たちは普段、人が何かを言うのを聞いたり、何かが起きたことを知ったりしても、「そうか」と軽く流してしまう。しかし、そうした何気ないことも、よくよく考えると、?と思う時がある。そこで一歩でも二歩でも問い進めるための問い方である。

とくに、ごくありふれていながら、問い進めないことが問題になるのは、苦情や嘆きや怒りである。たとえば、「あの人感じ悪くない?」とこちらに同意を求めてくる人がいる(あるいは自分がそう思う場面を考えてもいい)。もしそう思わないなら、とりあえず「そう? そんなことないんじゃない?」と問い返すだろう。

では実際にその人が感じ悪かったら、「そうだよね」とか「そうなんだ」と答えるのだろうか。しかしその前に少なくとも自問してみよう――「だから何なのか?」。だから仲間外れにしようとか、だから関わらないようにしようとか、そういうことなのか。

もしこれが、まったく他意のない、たんなる〝オチのない話〟だったとしても、私たちの言葉は、誰かに届けば、そこから広がっていく。ただ「感じ悪いね」ではすまない。だからこのような言葉を聞いた時、あるいは自分自身が思い、言いたくなった時、「だから何なのか?」と問うてみるといい。その「感じ悪い人」を排除するのか、攻撃するのか、どうするのか問うといい。そのうえでその言葉とどのように向き合うのか、言うのか言わないのかを決めるのがいい。先の展開を考えずに言うのは無責任である。

また、何か不正や犯罪などの事件が起きた時に、政治家やコメンテーターがしばしば「こういうことは断じて許してはいけない!」と言う。正論と言えば正論なので反論することもないのだが、あなたもそれに「そうだそうだ」と思うのだろうか。

ここでも問うてみよう――「それでどうするのか？」

許さないとして、その人（あなた）は何をするつもりなのか。何もしないのに「許さない」とは何を言っているのか。その人（あなた）が許そうと許すまいと、その事件は起きたのだし、起きる原因がある以上、同じような状況があれば今後もまた起きる。

こんなことを言うと、「じゃあ、おまえは許すのか？」と言われるかもしれない。だが、そういう問題ではない。このような言葉がよくないのは、それ以上問わなくなることだ。自分で何かしないにしても、問うことはできる。

それが起きないようにするのに、何がなされるべきか。どうすれば、そのようなことが起きないようになるのか。それを考えるために、「なぜそのようなことが起きたのか？」「その背景には何があるのか？」「それを正当化する理由があるとしたら、それは何か？」と言ったことを問う（次の「後ろに進む」問い）。そうすることで事件をより深く理解できる。それは無理解のまま、ただ非難だけして善人ぶっているよりははるかにマシである。

「一人一人の意識を変えていかないといけない」という意見も、同じくらい不毛である――「それでどうするのか？」

実際に何かしないにしても、一人一人の意識が変わるために何が必要なのか言わないかぎり、何も言っていないのと同じである。なぜなら、一人の人間がまったく独立に変わることはなく、何らかの要因や条件があってはじめて変わるからである。それが何か、さらに問うことができるはずだ。

一人一人の意識に訴えるこうした言葉は、一見すると異論の余地なく正しい意見のように思われるだけに始末が悪い。そして何かあった時に「自己責任」という言葉を持ち出せば、もっともらしいことを言った気でいられる。しかしそれは、やるべきこと、考えるべきことを考えない無為無策な責任逃れにすぎない。そんなことを言って終わりにするのではなく、その先に問い進めることが重要である。

後ろに進む——どこから来たのか?

「問いを後ろに進める」とは、由来や経緯、理由や原因を問うことである。「どこから来たのか?」「なぜ起きたのか?」「原因は何か?」「何があったのか?」「どのように起きたのか?」などの問いが挙げられる。

すぐに結論に飛びついたり、決めつけたりしている時、いったん止まって今一度じっくり冷静に考え、物事をより深く理解するための問いである。

たとえば、不登校になったと聞いて、「大変だな」「かわいそうに」と同情する。薬物中毒の人、援助交際をする女子高生、万引きをする子について、「とんでもない奴だ」「そんな奴は処罰すべきだ」と断罪する。ロシアがウクライナに侵攻したことについて、「とんでもない国だ」「戦争は絶対にいけない」と憤慨する。

出来事や人に対して、すぐに善悪の判断を下すのは、短絡的な反応である。物事にはしかるべき理由がある。起こるべくして起こる必然性がある――「なぜそのようなことが起きたのか？」「その人に何があったのか？」

そのさい可能なかぎり公平に考えなければいけない。もっとも気をつけなければならないのは、その人や集団の資質の問題にしてはならないということである。なぜ不登校になったのか――その子が弱いからだ、集団生活になじめないからだ。なぜ薬物中毒になったのか――だらしがないから、安易な生き方をしているから。なぜ援助交際をするのか――モラルが欠けているから、自分を大切にしていないから。なぜロシアは戦争を起こしたのか――プーチンが正気を失っているから、ロシアが横暴な国だから。

これはたんなる形容、言い換えであって、原因でも経緯でもない。ほとんど循環論法であって、説明になっていない。どのような背景があり、何が原因で、何がきっかけとなって、そのような事態に至ったのかを問わなければならない。

もっと日常的な言い方にも、同様の問題が潜んでいる。当たり前すぎて気づかないほどだ。なぜその子は成績が悪いのか――頭が悪いから。なぜうちの親は聞く耳をもたないのか――頑固だから。なぜそうしたらいけないのか――ルールだから。

いずれもまったく答えになっていない。こうした短絡的で意味のない理由づけは一見、有無を言わせない説得力があるように見える。それは同じことしか言っていない、同語反復であり、理由と結論がほぼ等式で結びつくからである。

重要なのは、そこから理由や経緯へと問い進めることだ――なぜ頭が悪い（ように思われる）のか、なぜ頑固な（ように思われる）のか、なぜそれがルールになっているのか――その理由や経緯を考えるべきである。

当然のことながら、同じことは、ポジティブなことにも当てはまる。休まず学校に行って授業を受けている人、勉強ができる人、家族とともに平和に暮らしている人、健全な生活をしている人は、真面目だから、頭がいいから、ちゃんとしているから、自分の体を大事にしているから、という理由で片づけてはいけない。

なぜ真面目でいるのか、なぜ頭がいいのか、なぜちゃんとしているのか、なぜ体を大事にしているのか、そのようになっている理由や経緯を問わなければならない。さらには、真面目とはどういうことか、頭がいいとは、ちゃんとしているとは、体を大事にするとはどういうことかも。

私たちは現実をあまりにも安易に捉える。分かった気になって、人を称賛したり非難したり、物事に感激したり失望したりする。こうしたことを問い、考えることで、私たちは物事をより深く考えられるようになる。

上に進む——より大きい視点から見ると？

「問いを上に進める」とは、より一般的な観点、より広い視点から捉える、物事を大局的に見ることとである。①「より一般的にはどのように捉えられるか？」、②「より広い視点からはどのように捉えられるか？」、③「全体を見る視点からどのようなことが言えるか？」の三つに分けて説明しよう。

自分のことや目の前の問題だけで精いっぱいになり、行き詰まっているような時、視野を広げてより俯瞰的に考えるための問い方である。

①「一般的な観点」から考える場合

たとえば自分が病気や貧困や差別などの苦しい境遇にいる時、「なぜ自分だけがこんな目にあうのか？」という思いに駆られることがある。ここには、病気や貧困、差別ゆえの苦しみにとどまらず、それが周囲に理解されない孤独ゆえの苦しみもある。そこで

「世の中には同じような境遇の人がどこにどれくらいいるのか？」と問うてみると、他にも似たような境遇の人がいることが分かる。そうすると同様の障害、病気、差別ゆえの仲間ができて孤立の問題が解消する。

こうしてその人は、同様の苦しみを抱える者の一人となる。そして、このような苦しみを抱えている人は、どのようにそれと向き合っているのか、どのように生きているのか、どこに救いや希望があるのかを共に考えることができる。

実際に仲間ができてもできなくても、自分を他にもいる同様の存在の一人だと思えば、得られるもの、与えられるものもできて、より大きなものに支えられ、自分も誰かを支えられると思えるようになるだろう。

②「より広い視点」から考える場合

ある問題だけ考えていると、別のところで同様のことが起きていることに気づかない。たとえば、障害者をどのように社会や地域で受け止めるかという問題を考えてみよう。これだけだと、それは「障害者」という特殊な人たちの問題であるように見える。

しかし、障害というのは、身体的にせよ精神的にせよ、生活上の困難を抱えていることである。そのように広く捉えると、誰しも年をとれば、遅かれ早かれ体が不自由になったり、認知症のように精神的に困難を抱えたりする。つまりこれは老化の問題でもあるのだ。それを踏まえると、障害者の問題は特殊なものではなく、社会全体で取り組まなければならない問題となる。

③「全体を見る視点」から考える場合

たとえば、食費を節約しようと思って自炊をしていたら、安い材料を買いすぎたり食べきれずに捨てたりしてかえって出費が多くなった。あるいは、健康にいいものを心がけているうちに神経質になってストレスがたまって体調を崩した。表通りで防犯カメラの数を増やしたら犯罪が減ったが、逆に裏通りで犯罪が増えた。

このように一つの問題に対処したと思ったら、他のところで問題が生じるということはよくあることだ。だから、何か問題に対処するさいには、「他のところはどうなるのか」、「全体から見た場合、どうなるのか」を問うようにするのがよい。それを考えることで、バランスの取れたよりよい対処ができるようになる。

下に進む
——より深く掘り下げてみると？

「問いを下に進める」とは、問題を掘り下げ、より深く正確に理解しようとすることを指す。とくに重要なのは、第3章でも取り上げた①意味を問う「〜とはどういう意味か？」、②理由を問う「なぜ〜なのか？」、③根拠（成立条件）を問う「〜が成り立つ条件は何か？」、④方法を問う「どのように〜か？」である。

自分が見聞きしたことがよく分からない時、表面的には分かっても、どこかモヤモヤしたところが根強く残っている時、問題を明確にしたり、根底から見直したりするための問い方である。

①意味を問う

意識して人の話すことや書くことに注意を向けるようになるとすぐに分かるが、私たちは、意味がよく分からない言葉にしばしば出会う。

まず、難解な言葉や専門用語のように、意味の分からない言葉がある——蝟集、籠絡、基軸通貨、ジニ係数、下部構造、エートス、反物質、ヴァルネラビリティ、パルクール、等々。これらは、はっきりと分からないと思えるので、まだいい。分からないなら、知ったかぶりしたり流したりせずに、調べるなり人に聞ければいい。

むしろ問題は、世の中で話題になっている言葉である――多様性、考える力、対話、国際化、グローバル人材、コミュニケーション能力、リーダーシップ、等々。これらの言葉は、重要だとされてよく使われるのに、意味が不明瞭である。意味を明確にせずに話していると、非常に表面的で中身のない議論をすることになる。だから、ことのほか意識して「それはどういう意味なのか？」と問う必要がある。

②理由（目的、動機）を問う

ここでは目的と動機の問いを取り上げよう。

まず目的についてでは、ルーティーン化していること、慣例として行われていることについては、何のためにそうしているのか問うてみるといい。実はたいした目的はない（当初はあったのかもしれないが）ことも多い。たとえば、かつて電車の優先席付近は携帯電話の使用（電源オン）が禁止されていた。理由は、心臓ペースメーカーに影響が出るといけないからであった。しかしその後技術の進歩によって、よほど近くなければ影響しないようになったので、当初の目的は意味をなさなくなっていたのに、マナーとして残り続けた。こうしたものはあらためて何のためにあるのか考え、とくに理由がないのであれば、やめればよい。

次に動機を問うてみよう。私たちは人の行動に関して、しばしばすぐに「あんなことするなんて非常識だ」「何であんなことするのか理解できない」と善悪を決め、評価したがる。しかし傍から見て訳が分からない場合でも、実はそれなりの動機があったりする。それを知らないまま、良い悪いを言うのはフェアではない。なぜそうしようと思ったか、その動機を知ることは、物事や相手を理解するうえできわめて重要である。

ひょっとすると実際に聞いてみても、「興味があったから」「ムカついたから」「なんとなく」「出来心」など、大した理由は言わないかもしれない。するとますます「そんなことでこんなことをやるなんてとんでもない」「なんとなくでこんなことをするなんてやはり異常だ」と憤慨する。

けれども問題は、なぜそれに腹を立てたかである。「なんとなく」「出来心」と言っても、本人がはっきり意識していないとか、実は言いたくないのかもしれない。じっくり聞くと「なんとなく」ではなく、やはりそれなりの理由があったりする。誰でも何かをする場合、些細であっても、それなりの理由があることが多い。それを知ろうともせずに、分かった気になるのは浅薄で傲慢である。

③根拠（成立条件）を問う

どんなことでも根拠なしには成立しない。根拠とは、言い換えれば、それが成立する条件である。しかもその条件は、けっして当たり前でも普遍的に妥当なわけでもなく、かなり特殊なことも多い。

たとえば、子どもについて勉強がよくできる、学力が高いためには、どのような条件が必要かと問う。親の収入との相関性はよく言われるが、そのことじたいは学力が高いことの条件というより、塾に行くとか、教育にお金をかけられることと関連している。より根本的な条件は、「勉強ができるのはよいことだという価値観」である。親がそのような価値観をもっていれば、お金をかけるだろう（親の収入が少なくても、子どもの教育を最優先する家庭であれば、子どもも勉強ができるようになる確率が高い）。

しかし、勉強に価値を置かない家では、子どもの教育にお金をかけないだけでなく、宿題をやったかどうかも気にかけず、子どもが勉強で頑張ってもほめることはない。それどころか親がギャンブルにハマったり、子どもをネグレクトしたり、暴力をふるったりすれば、子どもが勉強で努力することすら難しい。価値観の点でも生活状況の点でも、勉強を支えるようになっていてはじめて勉強ができるようになる。

別の例を挙げよう。ルール違反が多いことが問題である場合、その条件は何か問う。その答えは「ルールを守らない人が多い」ではない。これはたんなる原因、もしくは同じことしか言っていない（ルール違反が多いのは、守らない人が多いこととほとんど同じ意味）。そうではなく、その条件となっているのは「ルールが存在している」ということである。つまり、ルールがあるから、それを破る人がいるのであって、極端なことを言うと、ルールがまったく存在しなければ、ルール違反はなくなるのである。

だからルールを減らせばいい。そのために「なぜこのルールがあるのか？」「このルールは絶対に必要か？」を考えるのである。ルール違反を減らそうと思ってルールを厳格化すると、むしろ違反が増えることが多い。したがって絶対に必要なルールだけ残して、あとはなくせばいい。

④方法を問う

「○○しましょう」「○○しなさい」という、一見もっともらしい呼びかけや提案で、実際どうすればいいかよく分からないケースは、かなりある。たとえば、「仲良くしましょう」「相手を尊重しましょう」「違いを受け入れましょう」「対等に扱いましょう」「親切にしましょう」「主体的に学びましょう」とよく言われるが、どうすればそのようなことができるのだろうか。それ以前に、そもそもそれはどうすること、どのような状態になることを意味しているのだろうか。

しかし普通は、あえてそんなことは問わない。何となく分かると思っているのかもしれないし、聞いたら「そんなことも分からないのか」と怒られそうだから聞かないのかもしれない。いずれにせよ、「○○しましょう」と言っている本人も含めて、それがどういうことなのかも、どうすればそうなるのかも、実は分かっておらず、しかも分かっていないことも意識していない。だからそういう呼びかけや提案をしてもうまくいかず、ただ嘆くことになる。「何でみんな仲良くできないんだ」「何で主体的に学ばないんだ」と。だがそれがどういう状態で、どうすればそこに行けるのか考えれば、実現への道は開ける可能性があるのだ。

2 多方向的に問う

私たちは、緻密に論理的に考えれば、正しい結論にたどり着けると思いがちである。しかし、物事にはいろいろな側面があり、私たちには普通その一面しか見えない。他の誰かが言うことも、自分が考えることも偏っている。偏っているだけでなく、間違っているかもしれない。

だからどんなことでも、違った角度から捉えてみないといけない。自分の立場を絶対だと思わず、相対化することが重要である。そうすることで、物事の新たな側面が見えたり、新たな視点から考えたりすることができる。

そのための問いとして、ここでは「比較する」、「違う視点から見る」、「反対の立場から見る」、「時間軸を移動する」、「空間軸を移動する」——五つを挙げておこう。

比較する——どこが違うか／似ているか？

もっとも分かりやすい問いの形は、「AとBはどこが違うのか／似ているのか？」である。比較するには、どのような点で比較するかを決めなければいけない。何と比較するかによって、それを捉える視点が変わる。

たとえば、犬を金魚や猫、ハムスターと比較するのは、ペットとして犬を見ることである。キツネやタヌキ、オオカミと比較すれば、イヌ科の一つとして捉えることになる。子どもや恋人と比較すれば、家族やパートナーの一種として見ることになる。それで「子どもとペットは、家族としてどのような点で違うか／似ているか？」と問うことができる。

日本をアメリカやヨーロッパ諸国と比較する場合は、近代化の視点から見ていることになる。だから「日本と欧米の近代化はどの点で似ていて、どの点で違うか？」という問いがありうる。

中国、韓国朝鮮、台湾、ベトナムとの比較で考えるなら、漢字文化圏として捉えていることになる。これら四つの国で「漢字はそれぞれの文化にどのように影響したか？」「漢字はどのような人が学んだか？」「漢字はどれくらい今でも使われているか？」といった問いが考えられる。

なぞらえること（比喩、モデル）も比較の一種と言える。私たちにとってしばしば、あるものをそれじたいとして捉えるのはとても難しい。だから馴染みのあるものになぞらえて捉える。たとえば、人間を機械として見る。心臓をポンプ、腎臓を濾過装置と捉える。それで「人間は機械とどのような点で違っているか？／似ているか？」と問う。

人間の社会の変化・発展を、生物進化の生存競争のように見ることができる。すると、「人間社会は競争によって進歩するのか？」、「ここで言う〝進歩〟とは何を意味するのか？」、「社会の中で競争によって勝者と敗者ができるのはよいことか？」、「そもそも人間の社会を進化のように捉えるのは適切か？」といった問いが立てられる。

私たちは比較や比喩によって、新たな見方をすることができる。何と比較し、何になぞらえられているかを知ることで、今の見方の偏り、前提を知ることができる。

違う視点から見る——別の角度から見てみると?

一般に考えられているのとは違う視点や、一つのことを様々な角度から捉えると、普通では見えてこないことに気づき、新たな考え方をすることができる。

たとえば、移動のさいに重要なのは何か。スピード、所要時間、料金、快適さ、いろいろあるだろう。鉄道で移動するさい、スピードを重視するなら特急のほうがいい。各停は特急が停まらない駅で降りる時に使う。しかし逆に「乗車中の時間をどのように過ごすか?」という観点から考えてみる。すると、仕事や読書、映画やドラマの視聴となると、むしろゆっくり時間を取ったほうがいい場合もあるだろう。そのような観点からすると、特急は速くて便利というより、早すぎてあわただしい交通手段となり、各駅停車のほうがのんびりできる、ある意味贅沢な移動手段と言える。

次に家族のあり方を例にとってみよう。家族を「血縁関係」として見れば、子どものいない夫婦は十分な意味で家族とは言えなくなり、また養子は例外的なことになる。しかし「家計が同じであること」を家族とすれば、夫婦だけでも養子を迎えても十分に家族と見なせるし、パートナーとして共同生活をしていれば、性的志向が何であれ家族である。「同じ目標——仕事でも幸福でもいい——をもった集団」として家族を見るなら、結婚生活も家族生活も共通のミッションに向けて協力し合う仲間となり、近年話題になる契約結婚も一つの家族の形として許容される。どのような観点を取るかによって、家族の良し悪しも家族が抱える問題も変わってくる。いずれの比較においても、共通点と相違点を問うことができる。現代のような家族が多様化する時代に、新たな家族の形を模索することにもつながる。

物事はつねに違う視点から見ることができる。新たな視点を見つけることもできる。そうすることで、私たちはより柔軟に考え、新しい可能性を手にすることができるのである。

反対の立場から見る——自分と違う立場に立つと?

反対の立場から問うのは、形式的にはとても簡単なのだが、実際にはとても難しいことかもしれない。というのも、一時的にせよ、正しいと思っている自分を否定し、間違っていると思っている相手を肯定しないといけないからだ。しかし、自分の立場からだけ考え、発言するのは、どんなに正しく見えたとしても、偏っている。だから、より公平に考えるためには、自分が間違っているかもしれない、自分とは反対の立場のほうが正しいかもしれないという視点をもつことが重要である。

たとえば、若い社員がすぐに会社をやめてしまうというのは、最近の企業によくある悩みである。なぜやめるのかと言えば、仕事が合わないとか、思っていたのと違うということだったりする。それに対して、若者は我慢が足りない、甘えている、意識が低いなど、いろいろと批判することはできる。

しかしここで、逆に若い人の立場から問いを立ててみよう。つまり「なぜ最近の会社は、(若い人が)やめたくなるのか?」、もしくは「(若い人が)やめたくなる会社にはどういう問題があるのか?」と問うてみる。すると、仕事に合う人を採用していない、採用の時の希望を尊重していない、話を聞いていない、コミュニケーションをとっていない、無能な上司でも言うことを聞くのが当たり前だと思っている、等々、会社のほうの問題点が見えてくる。

たしかに若い人にも問題はある。個人的にも世代的にもそうだろう。けれどもそれで若い人を批判し、嘆いたところで、採用した人の定着率が上がるわけでも、いい人が採れるようになるわけでもないなら、やるべきことははっきりしている。少なくとも会社のほうも変わる努力をすべきであろう。

概して「昔はよかった、今はダメだ」的な世界観から言われる言葉は、昔の一部を拡大して美化しているか、自分たちのことは棚上げにして言っていることが多い。実際にはそんなことはなかったり、逆に現在の高齢者にも同様の問題があったり、かつては別の問題があったりする。いずれにせよ、公平ではない。

もう一つ例を挙げておこう。ルールを守らない人は処罰すればよいと考える人は多い。ルールは法律、学校や公園や施設などの規則、約束のような個人間の取り決めでもよい。ルールを守らなかった場合、何らかのペナルティが与えられるが、それを当然、ないし仕方がないことだと考える人が少なくない。

だがそれは、ルールを決めた側、そのルールをよしとする側の論理である。その反対の立場、つまりルールによって不利益を被ったり抑圧されたりしている側から見ると、ルールはまったく自明ではない。「なぜルールを守らないといけないのか？」「ルールを守らないと、どういう問題が起きるのか？」「そのルールは本当に必要なのか？」「そのルールは誰にとって必要なのか？」といった問いが立てられる。ルールによっては、守らなくても大した混乱や問題は起きないかもしれない。あるいは、そもそも必要なかったり、別のものに変えて双方が納得する形にできたりするかもしれない。

自分の立場を信じて疑わず、相手の立場から物を見ようとしないのは、自己中心的で横暴な思考停止にすぎない。

時間軸を移動する
――昔はどうだったのか？

時間軸を移動するとは、自分を相対化するのに、もっとも一般的なやり方の一つで、過去、現在、未来を比較する問いである。私たちは〝今〟を基準に物を考えやすい。今しか知らないわけだから、仕方ない。けれども、今はこう、昔はこうだったというのは、今を基準に「そうではなかった」過去をイメージしているだけのことも多い。

とくにある問題に直面すると、これは新しい問題で昔はなかったとか、今よりマシだったと思いたがる人は少なくない。そのような現状の否定やノスタルジーが背景にある場合は、要注意である。できるかぎり思い込みから自由になって、「昔はどうだったのか？」と問い、実際に調べてみるべきである。そうすると、当初思っていたことがまったく違っていたことが分かることも多い。

たとえば、近年未成年の自殺が増加し、「命の大切さが分かっていない！」「命の大切さを教えなければ！」と言われたりする。しかし未成年の自殺者数・自殺率ともに、実際には1950年代にピークを迎えたあと急速に減少し、70年代以降はおおむねピーク時の4分の1から5分の1程度で推移している。全体に占める割合も2％ほどである。

それに対して、40代以上の中高年が自殺者の5割を超えており、年齢が上がるほど多くなる。つまり、命の大切さが分かっているかどうかはともかく、自殺は若い人ほど少なく、年を取るほど多くなるのである。

また過去を知って、「今はどうなっているんだろう？」という問い方もできる。昔より今はよくなっているという進歩史観をもっていたり、昔はよかったのに今はダメだというふうに堕落史観をもっていたりする時も、気をつけなければいけない。

たとえば、かつてアフリカから多くの奴隷がアメリカ大陸に連れていかれたことは、昔のこととして歴史で習い、今は奴隷なんていないと思うかもしれない。しかしそこで「今でも奴隷はいるのか？」と問うてみる。ネットで調べてみれば、世界で４０００万人とも５０００万人とも言われる人が強制的な労働に従事させられていることが分かる。日本も30万人近くいて、先進国の中ではもっとも多いと言われている。

将来についても、今の状態を知ったうえで、どのような将来が可能か考えてみる。それは空想でもいいが、過度にユートピアやディストピアを思い描くのは気をつけるべきである。想像力は未来をその方向へ導いてしまうからだ。

近年、ＡＩが人間の仕事を奪うので、ＡＩによって代替されない仕事ができるようにならないといけないと言われる。ＡＩは人間ができない仕事もできるし、人口減少社会で今まで人間がやっていたことをＡＩにさせることもできる。ＡＩは人間にとっての脅威となるよりはむしろ、補完するものとしてよりよい関係を作ることができるかもしれない。暗い未来にせよ明るい未来にせよ、より現実的で望ましい未来を思い描くように問わなければいけない。

空間軸を移動する
——外から自分を見てみると?

自分を相対化するもう一つの一般的な方法が、自分—他者—社会、日本—外国、地球—宇宙と、空間的なスケールを変えて対比することである。「自分は○○だが、他の人はどうか?」「自分は○○だが、世の中ではどうか?」「この町では○○だが、他の地域ではどうか?」「日本では○○だが、他の国ではどうか?」「地球では○○だが、宇宙から見たらどうか?」というふうに問うのである。

時間軸を移動するのが歴史的な変化を問うのに対して、これは共時的・同時代的な比較をするものである。「自分の家では朝パンを食べるが、他の家ではどうか?」「どうして自分だけこんなにつらい思いをしているのか? 自分以外にも同じようなことで苦しんでいる人は、世の中にいないか?」

苦しんでいる人は、えてして自分だけが苦しんでいると思いがちであるが、広く社会を見れば、どこかに仲間がいる。これは個人レベルの話だが、国レベルの話になると、一見広い視野で物を考えているようで、まったく頓珍漢なことがある。

日本はPISA(国際的な学力調査)で大きく順位が下がったと言われる。PISAは2000年から3年ごとに行われている国際的な学力調査である。その間の日本の順位は、読解力が8位→14位→15位→8位→4位→8位→15位、数学的リテラシーは1位→6位→10位→9位→7位→5位→6位、科学的リテラシーは2位→2位→6位→5位→4位→2位→5位となっている。

これだけ見ていると、たしかに日本の順位は全体的に下がり気味であると言えるかもしれない。だが「他の国の順位はどうなっているのか?」と問うてみよう。そこで教育先進国として日本が称賛するフィンランドやスウェーデンと比較してみる。

フィンランドは読解力が1位→1位→2位→3位→6位→4位→7位、数学的リテラシーが4位→2位→2位→6位→12位→13位→16位、科学的リテラシーが3位→1位→1位→2位→5位→5位→6位となっている。

スウェーデンのほうは、読解力が9位→8位→10位→19位→36位→17位→11位、数学的リテラシーが15位→17位→21位→26位→38位→24位→17位、科学的リテラシーが10位→15位→22位→29→38位→28位→19位となっている。いずれも日本より顕著に下がっている。

このような順位の変遷を見ると、ＰＩＳＡの結果によって教育政策が左右されることに根本的な疑念を抱かざるをえない。日本の大人たちは、子どもの教育をじっくり考える前に、表面的な順位ばかり気にして右往左往し、この順位が高くなることが教育の成功であると考える。よい教育とは何か、子どもにとって大切なことは何か、日本にとって必要なことは何か、考え直したほうがいい。

こうして自分の立場から距離を取り、外から自分を見たり、他との関係で自分を位置づけたりできれば、より冷静で的確に物事を理解し判断できる。

問いの大きさを変える

1 小さい問いから大きい問いへ（個別具体から一般抽象へ）

小さな問い＝個別具体的なことばかり問うていると、考えが近視眼的になって行き詰まったり、場当たり的な答えばかり追い求めて、本質的なことをないがしろにしたまま物事を進めたりすることになりやすい。だから問いを抽象化して、個別から一般へと思考を広げ、大きな問いを考える必要がある。

そのさい次の二つのやり方がある。

個別具体的な問いから一般抽象的な問いへ向かう

たとえば就職しようとしている時、個別の仕事について「この仕事は面白いか？」「この会社は面白いか？」と考えていても、よく分からないだろう。結局は給料や勤務地、その他の条件で選ぶことになるのではないだろうか。ここで「そもそも〝仕事が面白い〟とはどういうことか？」と問うてみよう。すると「仕事の内容に興味をもてる」、「たくさん稼げる」、「お客さんに喜んでもらえる」、「社会貢献していると感じられる」、「気の合う仲間と働ける」など、人によっていろんな答えがありうる。

ここからさらに「自分の興味とは何か？」「自分にとってたくさん稼ぐとはどれくらいか？」「自分のしたい社会貢献とは何か？」「どんな人なら気が合うのか？」ということを問うことができる。このように考えていって、自分にとって「面白い」が何を意味しているのかが明確になれば、どのような仕事を探せばよいかも考えやすくなる。

もう一つ例を挙げておこう。私たちはイベント、仕事、恋愛など、いろんなことについて「どうすれば○○がうまくいくのか？」を考える。イベントであれば、トラブルや滞りなくプログラム通り進行することだろうか。仕事も恋愛も、大きな問題や軋轢なく、望んだ結果が得られることだろうか。

ここで「そもそも〝うまくいく〟とはどういうことか？」と問うてみよう。すると、「トラブルや滞りがあったら、うまくいかなかったということなのか？」、「予定通り進めば、うまくいったことになるのか？」、「望んだ結果が得られなくても、うまくいったと言えることはないか？」という疑問も浮かんでくる。もしかしたら、〝うまくいく〟とは、トラブルや滞り、軋轢と矛盾するものではないし、ひょっとすると、望んだ結果に至ることがいちばん大事なわけではないかもしれない。いちばん大事なことが分かれば、イベントでも仕事でも恋愛でも、もっと柔軟に、問題があってもなくても、結果がどうあれ、うまくいく可能性がある。

一般抽象的な問いは、物事の本質、もっとも重要なことを考えさせてくれる。したがって小さな問いから大きな問いへ行くことで、個別具体的な問いも明確に方向づけることができるようになる。

バラバラのものを一つの観点からまとめる

近年、多様性ということが言われる。そこで言われているのは、おもに障害者、外国人、LGBTQといったマイノリティのことを指している。もともと、これらはまったく別の問題だった。障害者は健常者との対比で、外国人は日本人との対比、LGBTQは異性愛者との対比で語られていた。これらは個人的問題として重なることはあっても、社会問題として重なることはあまりなかった。

それが次第に、会社や学校、地域コミュニティ、個人的関係など、様々なところで「どのように受け入れるか?」「どうすれば共に生きられるか?」という点で、共通の問題として意識されるようになった。ではそれをどのような言葉で捉えたらいいかということで、「多様性」というより一般化された言葉が選ばれた。

この新しい観点から翻って、「人間の多様性とは何か?」と問うことができる。すると他にも、貧富の差、能力の違い、学歴の差、性格の違い、病気の種類や有無など、様々な違いが多様性として考えられる。そしてそれらは別々の問題ではなく、どこか共通点をもっている問題として見えてくる。

また他の例を挙げるなら、貧困、虐待、いじめ、不登校、障害(身体、精神、発達)、病気(身体的・精神的)、外国にルーツがある等々、生活上の困難を抱えていることを、「生きづらさ」という表現で共通する問題として考えるようになっている。

これもまた小さな問いから大きな問いへの移行の一つとして見ることができる。物事をより包括的な観点から捉え直すことで、新たな問題や課題の提示が可能になる。

2 大きい問いから小さい問いへ（一般抽象から個別具体へ）

大きな問い、すなわち一般抽象的な問いは、いかにも重要で深遠であるように思える。「幸せとは何か？」「人間とは何か？」「人はなぜ生きるのか？」など。こうした問いは、近年「答えのない問い」の代表のように言われることもある。

実際には、このような問いは、扱いづらく、しばしば空虚である。直接答えようとしても、「幸せとは満たされていることだ」というような漠然とした答えしか出てこない。問いが抽象的で漠然としていると、答えもそうなる。一般論で上滑りして、容易に行き詰まる。

具体的に明瞭に考え、一歩でも着実に進もうとするなら、具体的に問わなければならない。大きな問いではなく、小さな問いを積み重ねて、答えの出せる個別具体的な問題に転換し、そこから考えていかなければならない。

幸せについての小さな問いとは、たとえば、「一日のうちで幸せだと感じるのはいつか？」である。朝起きてカーテンを開けて外を見る時、疲れて帰宅し風呂あがりにビールを飲む時、子どもが寝て静かになった後、一人ソファでくつろぐ時など、いろんな答えがある。

また「今まで幸せだと思ったのはどんな時か？」という問いであれば、長い間ほしいと思っていたものが手に入った時、彼女と初めてデートした時、頑張って失敗した時に親から褒めてもらえた時といった答えが考えられる。

ここからいくつかの共通項を取り出すと、たとえば、努力や苦労をした後の安堵や解放感という答えが出てくる。「満たされていること」だけではなく、その前にある何らかの欠乏状態と対比され、そこから充足に移行することが重要だと分かる。このような答えなら、ただ「満たされていること」に比べ、より明確で厳密である。それは、根拠となる思考が個別具体的な問いと答えの積み重ねであり、いつでも具体的な例を挙げられるからである。

もう一つ別の例として、「どのようにすれば差別をなくせるか？」という問いを挙げておこう。このまま答えようとすると、「相手を尊重する」「偏見をもたないようにする」「自分に置き換えて考える」など、漠然としたことしか言えない。

しかも「尊重する」とはどういうことか、「偏見」と言っても何が偏見なのか、「自分に置き換える」と言ってもどうすればいいのか分からない。だからこのように一般的抽象的な言葉を一般的抽象的な言葉で説明すれば、もっともらしいように見えても、さらに分からなくなるだけである。

このような問いは、もっと個別具体的な問いを積み重ねなければならない——「社会にはどのような差別があるか？」（人種、国籍、男女、学歴、職業、年齢など）、「いま論じているのはどのような差別か？」、「具体的にどのような出来事や行為を『差別』と呼ぶのか？」、「差別を引き起こす要因は何か？」（感情、慣習、制度、法律）、「差別と区別の違いは何か？」、「差別をなくすとして、どのような状態を目指すのか？」等々。

こうした具体的な問いを立てると、最初の漠然とした問いと答えではなく、明確で理解しやすく、議論を着実に積み重ねられることが分かるだろう。大きな問いはそのままではなく、このように小さな問いに落とし込んでそこから考えるようにならないと、まともに扱うことはできないのである。

以上、前章で様々な問いの性格や役割について説明し、この章ではどのように問い進めるのかについて述べた。次の章では、いろいろな問いのワークを紹介し、実際に問う力がつけられるようにしよう。

第5章

どうすれば問う力がつくのか？

実践編1

問うトレーニングの3ステップ

問いの種類や役割が分かっても、実際にどうすれば問う力がつくのか分からないだろう。問う力をつけるには、まずは問いをたくさん立てられるようになることが重要である。とはいえ、最初からよい問いを見つけるのは難しい。**何がよい問いで何が悪い問いかということは、はじめから考えないほうがいい。まずは問うことじたいに慣れなければならない。**たくさんの問いを立てられれば、その中から選んだり、それをまとめたり関連づけたりすることで、よりよい問いを見つけることができる。学びやビジネスの場では、こうした経験を積むことが不可欠である。

この章では、問い方の基本的なトレーニングを紹介する。一人でもできるが、他の人と一緒にするほうがずっと楽しく、力もつけやすい。種類としては、「テーマから問う」と「素材から問う」を挙げておこう。ここではテーマも素材もワークのために設定するが、生活の中で出会う他の様々な問いも、おおむねこのどちらかで扱える。いずれのワークも①問いを出す、②問いをまとめる、③新たな問いを見つける、のステップを踏む。

人数は1グループあたり三〜五人。ホワイトボードがあれば、板書しながら進めていってもいいし、パネルや机に付箋紙を貼っていってもいい。一人に一枚ずつ紙（コピー用紙でいい）を配ってそこに書いてもらって、それをお互いに見せ合う。オンラインであれば、チャット欄に書き込んでいくか、ネット上に共有ファイルを作ってそこに一緒に書いていけばいい。

まず各自で考えてそのあと一緒に作業をしてもいいし、最初からみんなで考えてもいいが、出てきた問いは必ずみんなで共有する。そうすれば、一人一人は、それほど多くの問いが出せなくても、合計すればたくさんの問いを見つけられる。問いがなかなか出せなかった人は、他の人のを見て、「なるほど、そうやって出せばいいのか」と分かる。たくさん出せた人でも、他の人の出した問いを見て、「なるほど、そんな問いもあるのか」と思う。このように**お互いに自分だけでは出せない問いに出会い、問いの出し方をお互いに学べるのが、他の人と一緒にやるメリットである。**

時間はどのステップも10分（長くても15分）くらいにする。時間を区切ったほうが集中するし、トレーニングになる。

1 テーマから問う

テーマを決めて練習するメリットは、とくに準備が必要なく、簡単に始められることである。テーマの種類によっては、予備知識が必要だが、それはその場でスマホやパソコンを使って調べればいい。

準備　テーマを決める

テーマを決めるところから始めるなら、「取り上げたいテーマを単語で出してください」と言って、出してもらう。以下、参考までに挙げておく。最初にするなら、(1)の身近なテーマがよいが、最終的にはどれでやってもさほど変わらない。

(1) 誰でも自分で経験したことがあり、とくに予備知識がなくてもできるもの
友だち、学校、仕事、恋愛、家族、結婚、子育て、旅行、本、グルメ、おしゃれ、趣味、故郷、健康、病気、死、住まい、居場所、男らしさ女らしさ、遊び、スポーツのような身近なテーマ

（2）ある程度の年齢であれば、多くの人が知っていそうなこと
ひきこもり、校則、不登校、少子化、性教育、男女差別、LGBTQ、戦争、環境問題、難民、非正規労働、ブラック企業、食品ロス、貧困、人口減少、地方創生、虐待、安楽死など、よく話題になる社会問題

（3）その分野のことに興味があって相応の知識がないと難しいもの
自動運転、インバウンド、共有型経済、AI、再生可能エネルギー、フェア・トレード、ヴァーチャルリアリティ、ナノテクノロジー、ポピュリズム、ソーシャルビジネス、啓蒙主義、オリエンタリズムなど、専門性の高いテーマ

ここから選んでもいいし、他のキーワードをその場で出してもらってもいい。ここではとくに予備知識を必要としないものから選んで、「健康」をテーマにしてみよう。

①問いを出す（10分）

まずテーマに関連した問いを出す。必ずしも「健康」という言葉を使わなくてもいい。**いい問いかどうか気にせず、とにかくランダムにいろんな問いを出してみる。**そのさい第3章の「具体的に、何を問うのか」で説明した様々な問いの形を参考にするとよい。

健康とは何か。

病気でなければ健康か。

健康であるためには何をすればいいか。

健康な生活とは、例えばどういう生活か。

健康と食事はどのように関係しているか。

散歩は体にいいか。

お風呂は体にいいか。

健康についての考え方は国によって違うのか。

欧米の人はあまり風呂に入らないが、日本人より不健康か。

健康でなければ不幸か。

健康であれば幸せか。

昔の人にとっての健康と今の人にとっての健康は同じか。

健康という言葉はいつからあるのか。

体に悪いこと（飲酒や喫煙）をしていても病気にならない人と、体にいいことをしているのに病気になる人がいるのはなぜか。

運動しすぎると体に悪いか。

心が病むと体も病むのか。
体が病むと心も病むのか。
なぜ健康でいることは大事なのか。
健康でいることの良さは何か。
健康であるかどうかはどうすれば分かるのか。
どこからが健康でどこからが病気か。
健康で長生きするための秘訣は何か。
健康と健全と健やかさはどのように違うか。
妊娠は病気ではないというが、健康な状態なのか。
体調は良くないが、病院で調べたら病気ではない場合、健康と言えるか。
元気であることと健康であることは同じか。
健康であることが善で、病気であることは悪か。
健康であることが悪で、病気であることが善である場合はないか。
健康の価値は病気になって初めて分かると言うが本当か。
……

②問いをまとめる（10分）

次に、いくつかの問いを結びつけて一つの問いにしたり、一つの問いに他のものを集約したりしていく。これは、個別具体的な問いからより一般抽象的なものを見つけ出す練習である。すべての問いを他のものと結びつける必要はない。

先の「健康」についての様々な問いは、以下のようにまとめることができる。

健康とは何か。
病気でなければ健康か。
どこからが健康でどこからが病気か。
体調は良くないが、病院で調べたら病気ではない場合、健康と言えるか。
健康であるかどうかはどうすれば分かるのか。
↓健康と病気はどのように違うのか。
元気であることと健康であることは同じか。
健康と健全と健やかさはどのように違うか。
↓健康とその類義語の意味は何か。

心が病むと体も病むのか。

体が病むと心も病むのか。

↓心の健康と体の健康はどのように関係しているのか。

健康についての考え方は国によって違うのか。

欧米の人はあまり風呂に入らないが、日本人より不健康か。

昔の人にとっての健康と今の人にとっての健康は同じか。

↓健康は時代や国によってどのように違うのか。

健康な生活とは、例えばどういう生活か。

健康と食事はどのように関係しているか。

健康であるためには何をすればいいか。

散歩は体にいいか。お風呂は体にいいか。

健康で長生きするための秘訣は何か。

運動しすぎると体に悪いか。

体に悪いこと(飲酒や喫煙)をしていても病気にならない人と、体にいいことをしているのに病気になる人がいるのはなぜか。

↓健康に生きるにはどうすればよいか。

③新たな問いを見つける（10分）

複数の問いをまとめたより抽象的な問いから、新たに具体的な問いを見つける。たとえば最後の「健康に生きるにはどうすればよいか」は、以下の問いを集約したものである。


健康な生活とは、例えばどういう生活か。

健康と食事はどのように関係しているか。

健康であるためには何をすればいいか。

散歩は体にいいか。お風呂は体にいいか。

健康で長生きするための秘訣は何か。

運動しすぎると体に悪いか。

体に悪いこと（飲酒や喫煙）をしていても病気にならない人と、体にいいことをしているのに病気になる人がいるのはなぜか。


問いに含まれている論点を挙げてみると、食事、運動、入浴がある。これらは、いわゆる生活習慣である。そのような意味で言うと、他にも服装、睡眠、住環境、人間関係に関連してさらに問いを出すこともできる。

和食と洋食とどちらが健康にいいか。
肉と魚とどちらを多く食べる方が健康的か。
ビールとワインと日本酒で体にいいのはどれか。
どのような運動が体にいいか。
健康にいいスポーツと悪いスポーツがあるか。
服装と健康はどのように関係しているか。
冬は薄着のほうが健康にいいか。
睡眠時間と健康はどのように関係しているか。
就寝・起床時間と健康はどのように関係しているか。
住んでいる家と健康はどのように関係しているか。
家の周囲の環境と健康はどのように関係しているか。
都市と田舎とどちらが健康に暮らせるか。
人間関係と健康はどのように関係しているか。
独身の人と家族と暮らしている人と、健康に違いはあるか。
……

出発点は、思いつきで様々な問いを挙げて、その後類似したものをまとめていけば、そこに含まれる共通の問いを手がかりに、さらにいろんな問いを見つけられる。そうすると、一見広がりがないように見えた問いや、漠然としてどのように考えればいいか分からなかった問いに、考えるべきことが具体的にたくさん出てくる。

他にも、たとえば「健康は時代や国によってどのように違うのか」を手がかりに、時代や国を具体的に比較することができる。時代なら平安時代、戦国時代、江戸時代、明治時代、戦時中、国ならアメリカ、フランス、ドイツ、イタリア、中国、インドなど。あるいは国内でも、世代によって違ったり、地方によって違いがあったりするかもしれない。そうやっていろんな問い、考えるべきテーマを見つけることができる。

次に、社会問題や専門性の高いテーマについても説明しよう（先に挙げた（2）と（3））。これらのテーマで議論しようとすると、その人のもっている知識の量が大きく影響し、ある程度の知識をもっていなければ、そもそも理解ができず、議論についていけない。

とはいえ、**問いを立てることに関して言えば、知識の有無はあまり関係がない**。というのも、分からないということは、問うことがあるということだからだ。第3章で挙げた問いの形をあてはめるだけでも、様々な問いを見つけることができる。

たとえば、非正規労働については、

非正規労働とは何か。
いつから非正規労働はあるか。
非正規労働の何が問題なのか。
非正規労働はどのように生じるのか。
他の国の非正規労働はどうなっているのか。

ソーシャルビジネスについては、

ソーシャルビジネスとは何か。
いつからソーシャルビジネスはあるか。
なぜソーシャルビジネスがあるのか。
他の国のソーシャルビジネスはどうなっているのか。
ソーシャルビジネスのメリットは何か。

などの問いが挙げられる。ただしこれらの問いが（1）の予備知識のいらない身近なテーマと違うのは、それに答えるのに個人の経験や記憶だけを頼りにはできず、本を読んだり人に聞いたりネットで検索したりして調べる必要があるということである。調べて新しいことが分かれば、それについてもさらに問うことができる。たとえば、ソーシャルビジネスが何か調べると、「福祉や子育て、町づくり、居場所づくり、環境保護など、地域や社会が抱える課題に取り組むビジネス」というような説明が出てくる。

ここには、福祉、子育て、町づくり、居場所、環境といった、とくに予備知識のいらないテーマがいくつも含まれている。だからここからは同じ要領で問いを出すことができる。

福祉とは何か。
福祉には具体的にどのようなものがあるか。
子育ての課題とは何か。
子育てと教育はどのように違うか。
町づくりとは何をすることか。
町づくりはなぜ必要なのか。
居場所とはどういうところか。
居場所がある人とない人は何が違うのか。

・・・・・・・

このように問いを出していけば、知識がないと議論できないテーマや専門性が高いテーマでもいろいろと考えることができる。

2 素材から問う

素材は、文章や統計、図像や画像など、何でもいい。一般にこのようなものは、正確に理解できるかどうかが問われ、要旨を述べたり、重要なポイントをまとめたりすることが多いだろう。それも重要なのだが、そこにとどまっていると、ただ受動的に知識を得るだけになる。どんな素材でもそこに書いてある以上のものを引き出すことができ、そうしないともったいない。

ではどうすればいいのか。問いかけをすることで、正しく理解できたかどうかに関わらず（正しい理解とは何だろう？）、どのような素材でももっと能動的に自分が考える糧にすることができる。

準備　素材を決める

素材とは、本の一節、ネットの記事、エッセイなど、ある程度のまとまりをもった文章である（もちろん本一冊でもいい）。グループワークをするなら、5分以内で読み終えられるものがよい（時間があれば、もっとかかってもいい）。統計や表、画像のような文章でないものでもいい。ここでは次のような短い一節を取り上げよう。

考えてみよう。目の前にいろいろな難問が立ちはだかっているとする。――たとえば「急に体調が悪くなったが、どこでどういう治療をうければいいか」「高齢の親の介護が大変なので、誰か手伝ってくれないか」「定期預金の金利が低すぎるが、株式投資の助言をしてくれないか」「いま購入するとしたら、どんなマンションがいいのか」などなど……。

こういった難問の解決に、ビッグデータにもとづく人工知能は有用だと宣伝されている。だが、本当に信頼できるのだろうか。

コンピュータが人間のかわりに判断してくれたり、手を貸してくれたりしたら、たしかに楽だし、便利だ。なにしろ機械なのだから、どこかのお偉方とちがって嘘などつくことはないだろう。最近はこちらの感情をわかるロボットさえ出現しているそうだから、優しく相手をしてくれるかもしれない。
だがもし、コンピュータがどうみても訳のわからない珍回答をだしてきたら、どう対処すればよいのか。「機械は正確なはず？」だから従うべきなのか。それで損害がでたり、事故がおきたりしたら、誰が責任をとってくれるのだろうか。

西垣通『ビッグデータと人工知能』中公新書2016（ⅱ）

①問いを出す（10分）

実際のワークでは、一節や一章くらい扱ってもいいし、事前に一冊読んできてもいい。ここではやり方を説明するだけなので、この短い一節だけにしておく。

素材を使った時は、まず（1）素材をある程度は理解しないといけない。そのうえでさらに（2）それを超える問いを見つけることができる。（1）を「理解のための問い」、（2）を「思考のための問い」と呼んでおこう。

（1）理解のための問い

素材となる文章を理解するために、まずはよく分からない言葉を問う。

金利とは何か。
介護とは具体的にどういうことか。
ビッグデータとは何か。
ビッグデータは何に使うのか。
ロボットとは何か。
ロボットはいつどこで発明されたのか。
人工知能とは何か。
人工知能は何ができるのか。
人工知能とロボットはどこが違うのか。
……

これらはネットや本などで調べたり、人に教えてもらったりすれば、とりあえず答えが得られ、文章の理解に役立つ。

(2)思考のための問い

素材の内容に関わりつつ、それを超えて考えるために問う。たとえば次のようなものである。

人工知能はどのような意味で知能なのか。
人間の知能と人工知能はどのように違うのか。
人工知能はどのような意味で有用なのか。
人工知能はどのような意味で有害なのか。
人工知能は人間の言うことをどれくらい理解できるのか。
人工知能は人間の考えを理解できるのか。
人工知能は感情も理解できるのか。
他の人の考えを理解するとはどういうことか。
人間は他の人の感情をどのようにして理解するのか。
人工知能が判断したほうがいいことは何か、人間が判断したほうがいいことは何か。
人工知能のせいで被害が出たら、責任は誰にあるのか。
人工知能に責任が取れるとしたら、どのような責任を取るのか。
責任を取るとは何をすることか。
……

これらの問いの中には、調べれば多少なりとも答えの出るものもある。逆に、「理解のための問い」でも、調べきれなかったり、調べても考える余地が残ったりする場合もある。そういう意味で、「理解のための問い」と「思考のための問い」は、明確に区別できるわけではない。したがって、自分が出した問いがどちらに当たるのかは気にしなくてよい。

②問いをまとめる（10分）

「テーマから問う」でしたのと同様、最初のステップ①で出した問いを関連づけて一つにまとめる。たとえば、

人工知能とは何か。
人工知能はどのような意味で知能なのか。
人間の知能と人工知能はどのように違うのか。
→人間の知能と人工知能はどのように違うのか。
人工知能はどのような意味で有用なのか。

人工知能はどのような意味で有害なのか。
↓人工知能と人間の良い関係はどのようなものか。
人工知能は人間の言うことをどれくらい理解できるのか。
人工知能は人間の考えを理解できるのか。
人工知能は感情も理解できるのか。
人間は他の人の感情をどのようにして理解するのか。
↓人工知能は何を理解できるのか。
人工知能のせいで被害が出たら、責任は誰にあるのか。
人工知能に責任が取れるとしたら、どのような責任を取るのか。
責任を取るとは何をすることか。
↓人工知能は責任が取れるか。

③新たな問いを見つける (10分)

ここでもいったん抽象的にまとめられた問いから再び具体的な問いを見つけてみる。
たとえば、「人工知能は何を理解できるのか」は以下の問いをまとめたものである。

人工知能は人間の言うことをどれくらい理解できるのか。
人工知能は人間の考えを理解できるのか。
人工知能は感情も理解できるのか。
人間は他の人の感情をどのようにして理解するのか。

これらは、人工知能が人間のどのような面をどれくらい理解できるかを問うている。
他に挙げるとしたら、表情、判断、感覚についての問いである。

人工知能は、
人間の表情を理解できるのか。
人間がうれしいとか悲しいとかを理解できるのか。
人工知能は人間の判断が正しいかどうか理解できるのか。
人間が痛がっているとか快適であると理解できるのか。
……

あるいは、理解することは人間の能力の一つで、その点から人工知能について問うているとみることもできる。

人工知能は、
感情をもてるのか、悲しんだり喜んだりできるのか。
何をどれくらい正確に判断できるのか。
痛みを感じるのか。
……
また、人間の能力について問うこともできる。
人の感情を理解するとはどういうことか。
人の感情や感覚をどのようにして知るのか。
人の思考、感情、感覚を理解するのはそれぞれ別のことか。
……

日常生活の中で、このように問いを次々出す場面はないだろう。しかし、単純なワークを繰り返して問うことじたいに慣れてはじめて、必要な時に必要な問いかけをすることができる。それは、ボールを投げたり走ったりする基礎練習をしてはじめて、試合ができるのと同じことなのである。

第6章

現実の問題にどう対処するのか？

実践編 2

現実に対して適切に問う

問いの種類や役割を理解し、問いを立てる練習をしても、現実の問題につきあたった時、どのようにしてそれに対処するかは分からない。重要なのは、適切なタイミングで適切な問い方をすることである。とはいえ、現実は待ってくれないし、問題も対処法も多種多様である。いろんな人の思惑や社会の制度、常識や慣習などが複雑に絡み合うため、そうしたタイミングも問い方も、こうすればいいと簡単に言えるものではない。それでも基本的な手順はある。

以下、説明のために、「問題」と「課題」、「解決」と「対処」を区別しておく。「問題」とは、対処が必要な事態を指す。「課題」とは、問題に対処するためにやるべきことである。「解決」は「対処」の一種であるが、きちんと問題が解消される、答えが出るような対処である。解決はできなくても、それなりの対処はできる場合もある。これらを区別することは、問いの立て方を考えるうえで非常に重要である。

1 解決法が分かっている場合

これは、すでにその問題を解決している人がたくさんいて、そのノウハウを身につければ、相応の結果が出せる見込みがあるケースである。当事者が一人、もしくは特定の立場の人に限定されていて、その人自身がコントロールできる範囲が大きく、他の人やその時々の状況によって左右される余地が小さい。

ただし、現実に解決できるかどうかは、お金、時間、能力、努力、協力者が必要な場合は、ふさわしい人が見つかるかどうかなど、必要な条件を満たせるかどうかによる。ノウハウにも簡単なものと高度なものがあり、「そんなの私には無理」というものもある。人からのアドバイスもあれば、ノウハウ本もあるので、それを参考にして自分のやり方をすればいい。

この場合、基本的には次の2段階で問いを立てる。

①問題の明確化（何が問題なのか）

問題とされることの具体的に何が問題なのかをはっきりさせる。

②課題の設定（どうすればいいのか）

明確になった問題に対してどのようにすればいいのかを決める。

具体的な事例を挙げて説明しよう。典型的なのは、入学試験、資格試験、就職活動のように、自分が目指すことを達成するような場合である。たとえば入試を半年後に控え、苦手科目があって学校の成績も模擬試験の点数も伸びず、焦っているとしよう。

①問題の明確化

苦手科目が足を引っ張り、点数が取れない。
試験まであと半年で、時間が足りない。

②課題の設定

苦手科目はどうすれば克服できるか。
——いい問題集を見つける、塾に通う、いい勉強法を教えてもらう。
時間が足りないが、どうすれば残りの時間で必要な準備ができるか。
——残りの時間でできることを決めて、それだけするようにすれば、足りないということはなくなる。やるべきことを明確にして（この問題集をする、この単語集を覚える）、自分にとって現実的なペースでやっていく。

あとは、その人の経済力、学力、集中力、忍耐力等、個人的な条件との折り合いである。それをどのように見積もり、やるべきことを決めるかは、その人の性格（弱気か強気か、リスクを取りたいか取りたくないか）にもよるので、何が正解か一概には言えない。

重要なのは、問題と課題を明確にしてすべきことをはっきりさせられれば、おそらく焦ることはなくなるということだ。合格する見込みがないのに、不合格になることを心配したり、やるべきことが分からないままいろいろ手を出したりしても、問題の解決には近づかない。

合格するかどうかは、受験を迎えた時の実力や体調によっても左右される。焦っても焦らなくても、心配してもしなくても、合格する時はするし、しない時はしない。人事を尽くして天命を待つだけだ。

資格試験もこれとほぼ同じであろう。就職活動は、相手があることなので、より複雑ではあるが、それでもノウハウがそれなりにある。

以上のようなアドバイスやノウハウは、とくに珍しいものではないだろう。もっと役に立つ細かいアドバイスは、マニュアル本にいろいろ出ているので、そちらを参考にすればいい。ここでは、このような対処法における問いの順序が分かればいい。そのことがより重要になるのが、次の「解決法が分からない場合」である。

2　解決法が分からない場合

こうすればいいという解決法がなく、解決例はあっても、それを一般化するのが難しい場合、また「解決」というのが何を意味するのかがはっきりせず、見方によって解決したともしていないとも言える場合がある。このようなケースは、個々の部分については、何らかのノウハウがあっても、全体としてはこうすればいいというのがなかなか言えない。いろんな立場の関係者が大勢いて、一人でコントロールできる範囲が限られている、どうにもならない部分も大きい。けれども、問い方については、ある程度一般的な手順は言える。最初の二つ、

①問題の明確化（何が問題なのか）
②課題の設定（どうすればいいのか）

ここまでは「解決法が分かっている」場合と変わらない。そのあとに次のステップが

続く。

③問題の前提の転換（なぜそれが問題とされるのか）

問題が問題として成り立つ条件を明らかにして、それを変える。

④新たな課題の設定（あらためてどうするのか）

前提を取り除くか変えることで問題を転換し、新しい対処の仕方を考える。こうすることで、もともとあった問題はさほど重要ではなくなるか、問題ではなくなる。

具体的な事例として、次のような状況を考えてみよう。

会社で仕事がうまくいっていない。自分の評価を上げたいのに、思ったように人が評価してくれない。そのためにモティベーションが下がり、仕事に身が入らず、自分の評価が下がっていくのではないかと思い、悪循環に陥っている。

①問題の明確化

自分は十分に評価されていない。

モティベーションが下がっている。

おもにこの二つの理由で仕事に支障が出ている。

②課題の設定

どのようにすれば自分の評価が上がるか。

どのようにすればモティベーションが上がるか。

これが課題である。「評価」というのが何を意味しているかによるが、もし具体的な成果(売り上げ、獲得顧客数)であれば、試験や資格と同様、必要なノウハウを身につければいい(スキルを上げる、今より努力する、先輩からアドバイスをもらうなど)。その結果、実際に成果が上がるかどうかは分からないが、少なくとも対処法は分かる。モティベーションについても、評価が上がらないことが原因であったのなら、成果が上がって評価が上がれば、やる気も上がるにちがいない。

ここまでは「1 解決法が分かっている場合」と同様である。問題は、この人の言っている「評価」がそのような客観的なことではない場合である。たとえば、本人が評価されていると感じることが大事なのだとすると、たんなるノウハウでは解決できない。

客観的には(業績がアップしたとか給料が増えたとか)評価が上がっても、本人が完璧主義であったり自己肯定感が低かったりすると、十分ではないと思うかもしれない。あるいは、業績を上げても、さらに多くを求められたり問題点を指摘されたりしたら、やはり評価が上がったとは思わないだろう。だからここでは「評価されているとはどういうことか」を問わなければならない。そのうえで、自分が当初こだわっていた評価がどれほど重要なのか自問してみると、さほど重要ではないとか、自分の考え方次第だと思い、客観的に評価が上がったことをもって良しとできるかもしれない。

③問題の前提の転換

ここで問題じたいを掘り下げるために、その前提となっていることを明らかにし、そこから考え直すとしよう。先の事例では、問題の根底には「仕事をするには評価が上がらなければいけない」という前提がある。この前提を外して、評価は上がらなくてもいいと考えてみる。「評価が上がること」を当然のようにいいことだと思っていると、この前提を疑うのは、たんなる思考実験のように思うかもしれないが、そうではない。

そもそもなぜその人（私たちでもいい）は、評価が上がらないといけないと考えているのか——自尊心、人から注目を浴びたい、称賛を浴びたいという欲求、自己肯定感の低さや劣等感の裏返しなど、いろいろあるだろう。しかし、どういう理由であれ、一時的に評価されても、それがずっと続くとは限らない。ある時評価されても、いずれ評価されなくなる時が来る。あるいは、評価を維持したり上げ続けるために、ずっと努力し続けなければならない。

この努力が向上心として働いて、実際に仕事ができるようになって出世でもすればいいが、今の状態はそうなっておらず、ただ精神的なプレッシャーにしかなっていないのかもしれない。

それに、評価を上げることにこだわっていると、自分より評価が高い人を恨み、低い人をバカにするかもしれない。そのような態度は人に伝わってしまうので、他人から疎んじられるかもしれない。

そうでなくても、精神状態としてあまり健全とは言えない。だから前提を変えて「評価は上がらなくてもいい」としてみよう。人から軽んじられたり蔑まれたりしない限り、ことさらに評価されなくてもいいと思えば、まずは評価が上がらないという苦しみから解放される。

もし軽蔑されたりバカにされたりすることがあったとしても、それはおそらく評価が上がらないという理由だけではないだろう（人間関係がよくないとか会社の雰囲気が悪いとか別の理由があるはずで、その場合そもそも最初の問題が変わってくる）。

④新たな課題の設定

「仕事をするうえで、評価が上がらなくてもいい」とすると、次の課題は「評価以外に何をモティベーションに仕事をすればいいか」である。たとえば、仕事に楽しみや気に入ったところがあれば、仕事は続けられる。そこで、「今の仕事のやりがいは何か」や「今の仕事の気に入っているところは何か」と問う。

その場合のやりがいとは、仕事そのものが面白いとか、性に合っているとか、同僚と気が合うとか、自宅から近いとか、職場の周りの環境がいいとか、何でもいい。そうして何らかの動機で仕事をしていくことで、成果が上がるかもしれないし、他の人からの評価も付いてくるかもしれない。

ただ、それは結果論であって、目的ではない。目的にすると、達成されないことが苦しくなるが、結果としてそういうこともあると思っていれば、苦にならない。もし仕事じたいに何の面白みもやりがいもなく、それなりに取り組むことに耐えられないむなしさを感じたりしているのであれば、その仕事をすることじたいに問題がある。それを他人の評価で埋めようとしても、長続きはしない。仕事じたいを変えることも考えたほうがいい。

現実には、生活条件や収入、年齢その他の理由で、すぐに転職することは難しいかもしれない。しかしその選択肢を考えられれば、対処の仕方も変わってくるし、苦しみも軽減するか別の苦しみに変わっている。なぜならすでに問題も課題も変わっているからである。

もう一つ、もっと個人的で人の感情や価値観が絡んで、合理的に考えるのが難しそうなケースを考えてみよう。たとえば、インターネットの相談コーナーに、次のような悩みが寄せられていた。

不妊治療・人工授精等をしたが、子どもができない。精神的にも経済的にも追い込まれ、子どもを断念。夫婦二人で生きていくことを決意したが、夫の両親がそれを分かってくれず、しつこく子どもを作るよう迫ってきて苦しい。

（朝日新聞Online　2021年11月6日　義父母に「不妊治療を続けて」と言われる）

①問題の明確化

相談者は、子どもをもたずに夫婦二人で生きていくことにしたが、夫の両親が何度説明してもそれを理解してくれず、子どもを作るようしつこく言ってくるので苦しい。何らかの仕方で子どもができることが（養子を含む）、あらゆる問題の解決になるが、それはもう選択肢に入っていないので、ここでは除外するとしよう。

そこで問題を整理する（以下、このような問題は実の親との間でも起こりうるので、とくに義父母とはせず、「親」とする）――夫婦二人で生きていくことにしたが、（1）その決断を親が理解しない、（2）子どもを作るようにしつこく言ってくる。

この二つの問題は別である。理解はしなくても、言ってこなければ問題にはならない。逆に、理解してくれれば、おそらく言ってはこないので、問題としてはまず（1）のほうを何とかすべきであろう。

②課題の設定

（1）について、どうすれば夫婦子どもなしで生きていくことを親に理解してもらえるか――いろんなやり方があるだろうし、もっと時間をかければいいという考え方もある。しかし本人がすでに「耐えられない」というのであれば、もう十分そのための努力はしたのかもしれない。

ただし、本人は「何度も説明した」つもりかもしれないが、親にとっては十分ではないのかもしれないので、一度すべてを整理してきちんと伝える（文章でもよい）。それで理解しないのであれば、説明を続けても、当面は解決にはつながらない。おそらく親はずっと理解しないか、するのに時間がかかる。第三者に入ってもらえば親も理解する可能性はあるが、それでもダメな場合も考えられる。すると（1）はここで行き詰まる。

（2）どうすれば、親がしつこく子どもを作るように言ってこないようにできるか——親は理解しなければ、言ってくる可能性が高い。理屈の上では、分からなくても言うのは控えるという選択肢もあるはずだが、なかなかそれが難しいということなのだろう。だったら、親から言われても気にしないようにするという選択肢もある。それは本人次第なので、その気になればどうにかなるのかもしれないが、頑張って我慢するということなら、長続きしないのでやめたほうがいい。そうなると（2）もここから先へは行けない。

③問題の前提の転換

（1）の問題の根底には、「親に理解してもらわないといけない」という前提がある。これを変えて「親に理解してもらわなくていい」と考える。これだけでも「理解してほしいのにしてもらえない」という苦しみは確実に軽減される。親が何か言ってきても、「そうですね。私たちもそう思うんですが、なかなか難しいんです」と言い続ける。そう返答するだけで、あくまで理解は求めない。それでも十分鬱陶しいだろうが、以前よりは楽になるはずである。

（2）の根底には、「親がしつこく子どもを作るよう言ってくるのを聞かなければならない」という前提がある。これを変えるには、親からその話を聞かなくてすむ状況を作り出せばよい。連絡を取ったり会ったりする回数をできる限り減らす（理想的にはなくすのがいいが、非現実的か）。

④新たな課題の設定

ここで新たに出てくる課題は、「子どもなしで生きていくことを親に理解してもらうのをあきらめ、会わないようにするにはどうすればいいか」である。そのために、たとえば、最後にもう一度だけ自分たちの考えを説明し、この件は今後話題にしないことをお願いする。それを受け入れてもらえなければ、会うことはできないと伝える。一時的に関係は悪くなるかもしれないが、親にも孫ができないことを受け入れる時間が必要だろう。何年かたったら、会えるようになるかもしれないし、ずっと会えないかもしれない。

他方で、同時に親の立場も理解するように努める。かつては、孫がいることは老後の幸せのみならず死後の安寧にとっても必須であり、子どもができないことを理由に離縁することもあった。今は時代が違うということだろうが、彼らは言わば、〝違う時代〟を生きているのであって、一概に彼らの願いが理不尽なわけではない。

何が何でも息子夫婦に孫をと望む彼らが身勝手であるなら、孫はいなくてもそれは親の関知することではないと考える息子夫婦も身勝手なのである。だからどちらが譲歩すべきだとか悪いというわけではない。お互いが会わなければ、両者ともに満足ではないが、苦しみは少なくなる。夫婦はしつこく言われなくてすむ。親はしつこく言うたびに拒否されずにすむ。孫をもたないといけない、孫がいないのは不幸だと考えるのは、親にとっても苦しみの種である。会わない間に、孫がいなくても幸せな老後は可能なのだと思えれば、彼らにとっても救いとなりうる（少なくとも息子夫婦と良好な関係をもてる）。

その選択肢を取るかどうかは、親の問題であって、相談者の問題ではない。この対応策は、相談者の自分勝手な行動でもないので、罪悪感を覚える必要もない。

ここでのポイントは、分かりやすい解決が困難な場合にできることは、それをあきらめて必要以上に苦しまないところに落としどころを見つけることである。あとは、時が癒してくれるのを待てばよい。

3 社会問題への対処

最後に社会問題を取り上げよう。これは個人の問題と違って、当事者間の努力だけではどうにもならないことがあり、短期的な解決が望めない。それでも、考え方を変えれば、対処の仕方はいろいろある。問いの順序は先の事例と基本的には変わらない。

不登校を例にとって考えよう。

①問題の明確化

不登校の問題は、学校へ行けないことだが、なぜそれが問題なのかといえば、授業が受けられず、勉強ができない、したがって進学できないということがある。また、学校は集団生活を学ぶところだと言われることが多いので、人間関係を作る機会がなくなるという点も挙げられる。

②課題の設定

不登校に対する直接的な課題は「どうすれば学校に行けるか」である。したがって行きたくない原因を取り除けば行けるようになるわけだが、ではなぜ学校に行きたくないのか。理由としては、いじめがある、友だちがいない、先生から嫌なことを言われた、授業についていけない、授業がつまらないなど、いろいろ考えられる。これらが個別にある程度改善できれば、学校に通えるようになるかもしれない。そのためには「解決法が分かっている場合」のように、どうすればいいか、それなりの対策は分かっていることもある。ただし、仮にそうだとしても、実現はなかなか難しいことも多いだろう。そこで前提までさかのぼって、別の対処法を考えてみよう。

③問題の前提の転換

ここにあるのは、「子どもは学校に行かなければならない」や「勉強は学校でするものだ」という前提であろう。それを転換して、「子どもは学校に行かなくてもいい」としてみよう。

小中学校は義務教育だから、子どもは学校に行かないといけないと考える人がいるが、これは勘違いである。この義務は子どもが教育を受ける義務ではなく、親（保護者）が教育を受けさせる義務である。子どもがもっているのは、教育を受ける（受けたいと思ったら受けられる）権利である。したがって親は子どもを学校に行かせなければいけないわけではなく、子どもが教育を受けたいと望んだ場合、それに応じる義務があるということで、それが学校である必要はない。逆に、学校に行こうとしない子どもに対して、「義務教育だ」と言って行かせようとするのは間違っている。

また、人間関係を学ぶというのは、たしかに学校の重要な役割だが、学校でないと学べないわけではない。地域社会やどこかの団体、サークルなどでも学べる。

④新たな課題の設定

学校で学ばなくてもよいとなれば、学ぶことも学び方も、学校とは別に考えられる。したがって「学校以外のどこで何をどのように学ぶのか」が新しい課題である。

勉強するところと、人間関係を学ぶところは別であってもいい。勉強は塾や家庭教師、フリースクール、自学自習、通信教育など、いろんな選択肢がある。人間関係は、地域やサークルなど、様々な活動に参加することで学ぶことができる。そのようなところであれば、いろんな年齢や立場の人と関わることができるので、学校で同年代の人とだけ付き合うよりもいいかもしれない。

他方で、高校に通わなければ、大学に行けないのではないかという心配もあるだろう。しかし少し調べれば分かるように、高卒認定試験（高等学校卒業程度認定試験）を受ければ、大学受験の資格が得られる。受験のために高校はもちろん小学校も中学校も卒業している必要はない（受験する年度内に満16歳以上になっているという条件はある）。

このような対処法は、不登校をなくすものではないが、不登校そのものを問題とせず、むしろ学校に行くことを問い直す。そうして個人のレベルでも制度のレベルでも、このように考えることでよりよい対処が可能になる。

実際に現実において出会う問題はもっと複雑で、いろんな思惑や感情が絡み合い、解決することが難しい。しかし、実は対処すべき問題を間違えていたり、対処しきれない問題にこだわっていたりするために、身動きがとれず、苦しみ続けていることが少なく

ない。それどころか、些末な問題や表面的な問題に気を取られ、本質的な問題に気づかないこともある。どんな事態であっても、問題を整理して、その前提までさかのぼって問いを立て直せば、どのように対処すればいいか、新しい展望が開けてくることも多い。それは、必ずしも当初の問題の解決ではなく、最善の答えではないかもしれないが、より現実的で有効な対処であり、場合によっては、より根本的な解決にもなりうる。そのためにもあきらめずに問うこと、それも適切なところで適切に問うことが重要なのである。

第7章

いつ問うのをやめるべきか?

問い続ければいいというものではない

私たちは問うことに慣れていない。だから、まずは何でもいいから問えばいい。他方で、適切なタイミングで適切に問うことも重要である（だからその問い方の一端を第6章で説明してきた）。このことは裏返せば、その時々に問うべきでないこと、問わないほうがいいことがあり、問うのをやめるべき時があるということである。そこで最後に、どのような場合に問うことをやめるべきか述べておこう。

1　非倫理的な問い

「問うべきでないこと」と聞いて、まず思い浮かべるのは、非倫理的な問いだろう。たとえば、「どのようにすればユダヤ人を絶滅できるか？」「どのようないじめが効果的か？」「どのようにすれば人をだましてお金を巻き上げられるか？」「不倫相手はどんな人がいいか？」等々。

一見すると、こうした問いじたいが非倫理的に思えるが、非倫理的なのはむしろ、「何のために問うのか」という目的であろう。**問いには、それを支え導く目的があり、そのためによい問い方、効果的な問い方がある。目的が手段を正当化するので、目的がいったん正しいものとされれば、その後で問うことじたいを批判するのは難しい。**

どんな非道に見える目的も、文脈や状況によっては正当化できてしまうのであって、より大きな大義が掲げられれば、その手前の非倫理的な行動は、〃必要な犠牲〃とされてしまう。殺人もいじめも、詐欺も不倫も、それを行う人にとっては、その時何らかの仕方で正しいとかよいとか必要とか、少なくとも〃やむをえない〃とされる。そうなれば、右のようなことを問うのはほとんど必然である。

また、戦争や災害のような危機のさい、集団が何らかの誤解や偏見によって、人々が特定の人（敵対する人たちやマイノリティ）に対する敵意へと駆り立てられることがある。すると、排除や攻撃が〃正当な〃目的となり、それを実現するための問い――「誰が悪いのか？」「悪い奴をどうやって排除するか？」「どのような罰を与えるか？」「どうやって抹殺するか？」――が生じる。そしてそこから帰結する暴力も歯止めがきかない。

だから重要なのは、どうすればその時点で目的じたいが非倫理的であると見なせるかである。そこでは合理性はあまりあてにならない。なぜなら、**合理性こそがあらゆる目的を正当化するの**であり、**どのような合理性が優れているかを決めることは容易ではな**

いからである。

むしろここでは、合理性以前の「感性」に訴えるほうがいい。そのためにもっとも有効な試金石の一つは、子どもの前で言い訳したりごまかしたり隠したりしなくていいかどうかである。多くの非道は、利害得失や正義、優越感や自尊心、仲間意識や差別意識など、「子どもには分からない」〝大人の事情〟である。だからこそ**子どもの無垢な魂の前に恥じることなく立てるかどうかが、非倫理的な問いを止める、おそらくは唯一の手段なのである。**

2 マジョリティの問い

非倫理的な問いは、違う状況や集団になれば、そうであることが分かりやすいので、「問うべきではない」と言って批判しやすい。ところが**マジョリティが平常時に考えているることは、そこに差別や排除、攻撃性を含んでいても意識されず、疑われにくい。**するとそこで出てくる問いも、たいていの人にとって正当であるように見えてしまう。たとえば、次のような問いである。

どうすれば国公立大学や有名私立大学、医学部の合格者数を増やせるのか。
どうすれば不登校の生徒を学校に来させられるのか。
どうすればパパ活（援助交際）をなくせるか。
どうすれば結婚できるのか。
どうすれば友だちがたくさんできるのか。
どうすれば幸せになれるのか。
どうすれば効率を上げられるのか。

これらの問いのどこが問題なのか、どこに差別や排除、攻撃性があるのか、分からない人もいるだろう。右のそれぞれの問いについて、一つずつ見ていこう。

・国立や私立の難関大学の合格者を増やすことが目的になれば、一人一人の生徒の人生よりも高校の進路実績が重視され、生徒は学校の評判を上げるための道具になりかねない。他方で難関校に合格しない生徒は、学校にとって意味のない〝残念〟な子となる。いったい学校は誰のために、何のためにあるのか。

・不登校はよくなくて、学校に来るのがいいのだという前提に立てば、学校に来ない子どもはダメな子、かわいそうな子になる。そもそも今の学校が根本的にどこかおかしいのではないか。教育は制度に子どもを押し込めるだけの営みになっていないか。

・パパ活（援助交際）が間違った〝自分を大切にしていない〟行為だと決めつけたら、そもそもその子がなぜそうしなければならなかったのか分からない。家でも学校でも、誰もその子を大事にしてくれなかったら、いったい誰がその子を大事にしてくれるのか。パパ活は、自分を大切にしようとする行動の一種だったのではないか。

・結婚できることが人生の幸せのように考えれば、結婚しない人が気の毒な人に見えてくる。結婚することの意味は何か、結婚しないことの何が不幸なのか。

・友だちができることに無条件の価値を置けば、友だちがいない人は欠陥人間のように見なされる。いったい友だちがいること、多いことは本当にいいことなのか、それにどんな意味があるのか。

・幸せになることが人生の目標、意味だとしたら、世の中の大半の人が生きる意味を失うかもしれない。不幸な人生に意味がないと、いったい誰が決めたのか。

・効率ばかりを重視すれば、非効率的なものの余地がどんどん減って、この世界はますます息苦しくなり、それについていけない人間は置いていかれ、捨てられることになるだろう。効率を上げることは、果たしてつねにいいことなのか。

先に挙げた一見常識的な問いは、多くの人が普通に問うし、問えばいい。しかし〝普

通〟でないケースというのは、意外なほど日常生活のいたるところに潜んでいる。多くの人がそれに気づかなかったり、そこから目を背けたりしている。そこではマジョリティの〝普通〟の問いは、むしろ間違っており、いったん問うのをやめてみたほうがいい。そして何を問うべきか、あらためて考えるべきである。

3 確認すれば終わる問い

生じたらすぐに終わらせるべき問いがある。

たとえば、友人から8月に遊びに行くからまた近づいたら連絡すると言われ、すでに7月末なのにまだ連絡が来ない。「8月に本当に来るのだろうか？」「なぜ連絡をしてくれないんだろう？」「何かあったのかな？」「忙しいのかな？」

こういった問いかけが頭の中で巡る。しかし、最初の問い以降は意味がない。友人に直接聞けばすむからだ。この程度のことならすぐに友人に連絡する人も多いかもしれないが、もっと聞きにくいこともある。

あることを提案するのに、上司が以前に似たような案件について、否定的なことを言っていた。それで「部長、どう思うかな？」「以前あまりよく言ってなかったよな。反対するかな？」「反対されたらどうしよう？」「別の案を用意したほうがいいかな？」「でもそうすると課長がどう言うかな？」……

会社などの組織ではありがちなやりとりだろう。サークルや町内会のような集団でもこうしたことは起こる。けれども上司がどのように思うかは、上司にしか分からないので、やはり本人に聞くしかない。右のグダグダした問いの連なりは無駄である。

問うべきことは他にある。部長に提案の主旨や理由を説明してみて、もしあまり前向きな反応が返ってこなかったら、どこが問題か、どこを改善すればいいか聞けばいい。

止めるべき問いは止めて、問うべきほうへ行くべきだ。

4 苦しみを増やす問い

私たちの苦しみは、しばしば問いによってもたらされる。

今まで経験したことのない体の異常を感じた。「重い病気だったらどうしよう？」「どこで診察を受ければいいのだろうか？」「ひょっとして治らなかったらどうすればいいのか？」「仕事が続けられなくなったらどうしよう？」「それで収入がなくなって生活ができなくなったらどうしよう？」「死んだらどうしよう？」……

こうして人生はお先真っ暗になる。しかし三つ目以降の問いは、どういう病気か分からないうちは問う意味がない。診断を受けて、どのように対処するかはっきりさせることが先決である。

あるいは、会社のプレゼンが近づいてきた。「どうしたらプレゼンをいいものにできるか？」「うまくいくだろうか？」「失敗したらどうしよう？」「他の人たちからどう思われるだろうか？」「自分の評価が下がったらどうしよう？」「出世コースから外れたらどうしよう？」「給料が下がったらどうしよう？」……

ここでも二つ目以降は、やはり問うても仕方がない。まずはプレゼンをよいものにすることに集中すべきだ。

あるいは過去についても、何度も思い返しては、「どうしてあんなことをしたんだろう？」「何であいつはあんなことを言ったんだろう？」「あれは避けられなかったのか？」「どこがいけなかったのか？」「本当はそんなこと起きなかったんじゃないのか？」と問い続ける。これが将来同じことを繰り返さないための反省になるならいいかもしれないが、それは容易に悔恨の念に変わる。そして「私なんか死んだほうがいいのではないか？」とすべてを消したくなる。どこからかは定かでないが、いつの間にかいくら問うても出口のない、苦しみの螺旋に落ちていくのだ。

こうして私たちは、不確かな未来や取り返しのつかない過去に直面すると、神や他者の視線を気にして、不安や恐怖にとらわれ、罪悪感にさいなまれる。そういう時、問いは不要な苦しみを倍加させるだけである。私たちの抱える問題は、本来の問題を超えて、またたく間に膨れ上がる。その結果、物事は必要以上に複雑になり、解きがたい難問となり、希望が消えていく。

右のような深刻な事態でなくてもいい。日常の些細なことでさえ、何か嫌なことや心配事があったり、失敗をしたり過ちを犯したりすると——忘れ物をした、物をなくした、ウソをついた、秘密がバレた、等々——、私たちはあれこれ、どうしよう、どうしようと止めどなく問い、不安を増幅させる。

では、どうすればこのように問うのを止められるのか。

一般的に言って、問題は「問題だ！」と思うから大変なことになる。すなわち、あってはならないこと、〝悪いこと〟が起きた！と思うから、どうにかしないといけない、どうすればいいか分からなくて収拾がつかなくなり、苦しみを増やしてしまう。逆に言えば、**問題があっても「問題だ！」と思わなければ大したことではない。問題が起きたことじたいは、良いも悪いもなく、たんに「問題が起きた」、それだけのことである。ただ問題のままにしておけばよい。**

病気、失敗、落とし物などは、たしかに問題だろう。しかし、病気になった、失敗した、落とし物をした、それだけのことである。何らかの対処が必要なら、病気は治療すればいい、失敗したなら謝ればいい、落とし物をしたら探せばいい。それではすまない場合もあるだろうが、さらにできることがあるならすればいいし、できることがないならあきらめるしかない。

そのさい問題はそれじたいの大きさでしかない。だから過剰に心を煩わせるものではない。そうやって**自分が身を置く現実を、ただそのままの大きさで受け止める**。そういう平静さが必要であろう。

5 問いを受け止める

平静になることなど到底不可能で、どうしても問いが止められないことだってある。大切な人を訳もなく殺された、事故で動けない体になった、信じていた人に裏切られたなど、堪えがたい理不尽に見舞われた時、問わずにいられない──「なぜこんなことに？」「なぜこんな時に？」「なぜ私が？」

いくら考えても、いくら探しても、答えは見つからない。運が悪かった、たまたまそうなった、罰が当たった、……要するに納得できるような答えなどないのだ。あまりの不条理に苦しみと問いが一つになって、止むことがない。

こうした消えようがない問いに、無理に答えを与えようとするのは、問いをなきものにしようとするに等しい。それは問いと共に苦しみもなきものにしてしまう。でも実際には、けっしてなくなることはないので、問いと苦しみを抑えつけられる苦しみがさらにのしかかる。

そのような状態で唯一すべきことは、問いに答えを求めるのではなく、また問いから逃げるのでもなく、ただ問いのまま受け止めることである。できれば、一人ではなく、他の誰かにただ聞き届けてもらう。そうすることできっと、**問いと苦しみに、言わば〝尊厳〟を与え、その人の人生のうちで落ち着くべき場所を見つけることができるのである。**

おわりに

私はこの本を哲学者として書いている。

哲学とは考えることであり、考えるとは問うことである。だから哲学は、問うことについて、きわめて自覚的でなければならない。問うことについては、近年しばしば答えのない問いが大事だと言われる。そして哲学こそが問いのない答えを追求してきたのだと言われたりする。どちらについても、正しい面と間違っている面がある。

たしかに簡単には答えが出ない、出したと思っても、誰かが反論する、一つの正解はなく、決着がつかない、だからずっと昔から同じような問いがある。善とは何か、幸福とは何か、「存在する」とはどういうことか、といった問いである。こうした問いは哲学の問い、もしくは哲学的な問いである。

しかしそれは、「答えのない問い」ではないし、「人それぞれだよね」で片づけられるわけでもない。どんな哲学者であれ、それぞれの立場から自分なりに答えは出している（つもりだ）。さらに**哲学は、容易に答えが出ない、どのように考えればいいか分からな**

い大きな問題を分解して、答えの出る問いに落とし込み、それを積み上げて大きな問いに立ち向かう。そのすべての段階で、強固な説得力が求められる。そこに決着がつかないのは、哲学の頼りなさではなく、むしろ粘り強さであろう。その意味で**哲学は、答えのない問いにたゆむことなく答えを出そうとする営みである**とも言える。

他方でこれは、何も哲学的な問いに限ったことではない。

高齢者の福祉と子どもの教育と予算をどのように配分すればいいかという問いや、開発のために自然環境を破壊するのはどの程度許されるのかという問いは、とくに哲学的な問いではないが、明確な答えがない。それでもどうにかして答えを出さなければならない。だから重要なのは、答えのない問いではなく、答えのない問いに何らかの形で答えることなのである。

それで本書では、問うことについて、あらためて一から書いてみようと思った。「なぜ問わないのか？」から始めて、「問うことにどういう意味があるのか？」、「何のために問うのか？」で問う意義と目的を述べ、「何を問うのか？」で問いの種類と意味を説明し、「どのように問うのか？」で問いの進め方について書いた。そして実践編として、「どのようにすれば問う力がつくのか？」で問いのワークについて、「現実の問題にどのように対処するのか？」で実生活の中での問い方について述べた。そうやって〝問いのスヽメ〟

のようなものを書きながら、最後に「いつ問うのをやめるべきか?」まで書かなければならなかった。それは何よりも、問うことがたんに知的な行為ではなく、生きることに深く広く関わり、他のすべてのことと同様、必ずしも良いとは限らないからだ。問うことは〝諸刃の剣〟なのである。

私たちは問うことで、物事をより深く考え、理解するようになる。世の中の偏見や常識、自分の思い込みから自由になることができる。その結果、勉学や仕事でこれまでにない成果をあげることもできる。そうして人生に喜びと希望がもたらされる。

他方で、悪意や歪んだ正義、愚かさや猜疑心などから、問えば問うほど非道な考えや無益な想念にはまりこむ。そうして人生は悲劇に見舞われ、不安と苦悩に満たされる。

そのどちらに行くのか、必ずしも選べるわけではない。その時々の状況や情動によって、問うべきことを問わず、問うべきでないことを問う。人間にはそのような不確かさ、不安定さが宿命的につきまとっている。けれども、それはとても人間的なことである。

動物は、「これは何だ?」「これは食べられるか?」「これは敵か?」「今は逃げるべきか?」といった生存に関わる単純な問いと答えはできるだろう。しかし将来や過去を考えたり、現実ではないこと、目の前にないものを想像したりして問いを発することはない。だから人間のように、希望に胸をふくらませることも、不安や悔恨にさいなまれることもない。

こうした情動に彩られる私たちの生は、したがって、つねに問いと共にある。それは、幸福と不幸、成功と失敗に向かう様々な道の間を往還することである。そこに答えがあるのかどうか、誰かがそれに答えられるのかどうかは、大して重要ではない。**自分自身の問いも、他の人の問いも、問いとして受け止めることこそが何より大切である。それがその人を人として承認することにもなるのだ。**

人間的であるとは、そういうことである。だから、私たちはやはり恐れることなく、厭うことなく問えばいい。そこに潜む危うさをわきまえつつ、勇気と節度をもって。

あとがき

大和書房の編集者である若林さんからこの本の企画を提案された時、当初はもっと気楽に考えていた。前著『考えるとはどういうことか』で、問いについてもう少し突っ込んで書きたかったことを書くだけだ、と。

若林さんもそれくらいに考え、気楽に依頼したのだと思う。私にとって、そんなに大変な作業ではないだろうと。それに応えて、私はよりよい人生を送るための問い方についての本を書けばいい。

しかし、実際書こうとすると、そんな簡単な話ではなかった。問うことの素晴らしさや楽しさだけでなく、複雑さや恐ろしさ、愚かさまでもが視界に入ってきた。正直、かなり苦戦したところもあったが、逃げるわけにもいかなかった。書き上げてみれば、私自身、問うことについての理解がずっと深くなった。そんなきっかけを作って、思ったよりも時間のかかる私に、いつも絶妙のタイミングで声をかけ続けてくださった若林さんに心から感謝する次第である。

また、様々なところで哲学対話やワークショップを行い、ほとんど無数と言ってもいい問いに出会えたのは、問うことについて考えるための基本的な経験として不可欠であった。さらに、東京大学の社会人講座、エグゼクティブ・マネジメント・プログラム（EMP）のオリエンテーションを担当したことは、「問いの立て方」のメソッドを考えるうえでいい機会になった。関係したすべての人に深謝する。

最後に、常日頃から質問疑問の多い私に「ウザい」と言いながらつきあってくれた家族にも、今までとこれからとまとめて「ありがとう」と言っておきたい。

２０２３年５月　著者しるす

梶谷真司（かじたに・しんじ）
東京大学大学院総合文化研究科教授。京都大学大学院人間・環境学研究科修了。専門は哲学、医療史、比較文化。近年は学校や企業、地域コミュニティなどで「共に考える場」を作る活動を行い、いろんな人が共同で思考を作り上げていく「共創哲学」という新しいジャンルを追求している。近著に『考えるとはどういうことか 0歳から100歳までの哲学入門』（幻冬舎）、『書くとはどういうことか 人生を変える文章教室』（飛鳥新社）がある。

問（と）うとはどういうことか
人間的（にんげんてき）に生（い）きるための思考（しこう）のレッスン

2023年8月20日　第1刷発行
2024年5月15日　第6刷発行

著者　梶谷真司（かじたにしんじ）
発行者　佐藤 靖
発行所　大和書房（だいわ）
〒112-0014 東京都文京区関口1-33-4
電話 03-3203-4511

ブックデザイン　三森健太（JUNGLE）
本文印刷　信毎書籍印刷
カバー印刷　歩プロセス
製本　小泉製本

ISBN978-4-479-39410-5

https://www.daiwashobo.co.jp/